देश-विदेश की 110 बोधकथाएँ

देश-विदेश की 110 बोधकथाएँ

पैट्रिक लेवी

अनुवाद
मोज़ेज़ माइकेल

स्वर्ण जयन्ती

ISBN : 81-88599-70-0

स्वर्ण जयन्ती

माहेश्वरी भवन, अंसारी रोड, दयानंद मार्ग, 21-ए,
नयी दिल्ली-110002
द्वारा प्रकाशित

संस्करण : 2017

मूल्य : ₹550.00

आर. टेक ऑफ़सेट, शाहदरा, दिल्ली-110032
द्वारा मुद्रित

स्वर्ण जयन्ती, वाणी प्रकाशन की सहयोगी संस्था

प्राक्कथन

(यीशु के शिष्य) यूहन्ना ने (बाइबिल में संकलित) अपने शुभ समाचार में लाजर की मृत्यु के विषय में बताया है कि कैसे उसकी बहनें शोकाकुल थीं, कैसे यरूशलम से भीड़ एकत्र हुई, और फिर कैसे चार दिन पश्चात यीशु वहाँ आये और उन्होंने लाजर को कब्र से बाहर बुलाया और जीवित कर दिया।

यूहन्ना के अनुसार, (यीशु) ख्रीष्ट इस चमत्कार के माध्यम से परमेश्वर के पुत्र का महिमामंडन करना चाहते थे। निश्चय ही, लाजर इससे प्रसन्न हुआ होगा क्योंकि वह कुछ समय और जीने का आनन्द ले सका, और उसकी बहनें भी इसलिए प्रसन्न हुई होंगी क्योंकि उन्हें शोक नहीं करना पड़ा। परन्तु यह कहानी पाठकों के लिए किस प्रकार उपयोगी है? इसे पढ़कर पाठक के ज्ञान में क्या वृद्धि होगी? क्या इससे हमें यह सीख मिलती है कि हमें अपरिहार्य को स्वीकार कर लेना चाहिए? क्या इससे हमें ज्ञान के पथ पर आगे बढ़ने में सहायता मिलती है?

किसी मनुष्य का पुनर्जीवित होना मानव इतिहास की अत्यन्त दुर्लभ घटना है। पृथ्वी का नियम है कि समस्त प्राणी सदा सर्वदा मृत्यु को प्राप्त होते हैं। लाजर भी कुछ समय बाद दोबारा मर गया था।

एक स्त्री अपने मृत शिशु को लेकर बुद्ध के पास पहुँची। बुद्ध ने बच्चे को जीवित नहीं किया। बुद्ध ने उस स्त्री से कहा, "जाओ, गाँव से किसी ऐसे घर से एक मुट्ठी चावल लेकर आओ जहाँ कभी कोई नहीं मरा।" निश्चय ही, उसे एक भी घर ऐसा नहीं मिला। फिर भी, उसकी विफलता से यह आशय उसके और पाठकों के लिए निकला कि इस दृष्टांत से वह और हम कुछ विवेक और थोड़ा ज्ञान प्राप्त कर सकें कि : जीवन अनित्य है; मृत्यु अपरिहार्य है; और हर किसी का कोई न कोई प्रियजन मृत्यु के हाथों छीना ही जाना है।

यह जो बोधकथा होती है वह परीकथा से, नीतिकथा से, अथवा पौराणिक कथा से भिन्न होती है। अविश्वसनीय, काल्पनिक अथवा अतिरेकी स्थितियों पर आधारित होने पर भी, इसका अन्त कभी चमत्कार में नहीं होता, और न ही इसका समाधान जादू या अलौकिक शक्तियों में होता है। क्योंकि इस प्रकार की युक्तियाँ बोध की नहीं मगर विश्वास की अपेक्षा करती हैं। बोध तो उन अप्रत्याशित परिप्रेक्ष्यों और प्रतिक्रियाओं में व्यक्त होता है जो आत्मा, मन और बुद्धि को–एक साथ–प्रेरित

करती हैं। इससे हमारे समक्ष जो उजागर होता है, उससे कभी-कभी हम रब्बी सिमियन के शिष्य की तरह यह कहने को बाध्य हो जाते हैं कि : "यदि हम केवल इन शब्दों को सुनने इस जगत में आये होते तो, यह हमारे लिए पर्याप्त होता।"

बोधकथा आवश्यक रूप में नैतिक सद्गुण अथवा सदाचार की प्रस्तुति का प्रयास नहीं करती। इसके विपरीत यह अनैतिक, मूर्तिभंजक, अथवा ईशनिंदक होने का आभास भी दे सकती है। बोधकथा में साधु की स्पष्टदर्शिता, उसकी प्रतिक्रिया की निर्भीकता, उसके प्रदर्शित सत्य की शक्ति, अथवा केवल उसके सुझाए समाधान की सौम्यता से उत्पन्न होने वाले बोधिजनक प्रभाव देने का प्रयास होता है।

अन्त में हमें ज्ञानी अथवा साधु और सन्त में अन्तर करना होगा। सन्त वह व्यक्ति होता है जो अपने विश्वास, अपनी आस्था में आद्योपान्त और पूर्णरूपेण जीता है। वह एक दयालु मनुष्य हो सकता है जो अपने साथी मानवों के दुखों से अभिभूत होता है, और किसी प्रकार उन्हें बाँटकर कम भी करता है और इस प्रकार ईश्वर को प्रसन्न करता है, अथवा संसार को पापों से मुक्त करता है...मगर साधु दुख नहीं सहता। उसकी करुणा भी अपेक्षाकृत अधिक कष्ट और अशक्तता में व्यक्त नहीं होती, यह तो दुखों को शान्त करने या उन पर पार पाने के उपायों में व्यक्त होती है।

बोध की परम्परा उतनी ही प्राचीन है जितनी स्वयं स्मृति। सम्भवतः यह उतनी ही पुरानी है जितनी वाणी, और उतनी ही दूरगामी है जितनी पृथ्वी पर मानवता। कुछ कहानियाँ तो अनेक बार विश्व का फेरा कर चुकी हैं। वे एशिया से लैटिन अमेरिका, मध्य पूर्व और यूरोप तक में सुनी-सुनाई जाती हैं और इनके पात्र जातीय और स्थानीय स्थितियों और भिन्नताओं के अनुसार बदलते रहते हैं। प्रत्येक कथाकार उनमें अपनी सांस्कृतिक छाप और संवेदनाएँ जोड़ देता है।

विभिन्न आध्यात्मिक क्षितिजों से, (जैसा कि सदा से होता आया है, थोड़ा-सा रूपान्तर करके) साधुओं की जीवन गाथाओं से, और पर्यवेक्षण और अनुभव से प्रेरित वर्णनों से चयनित किस्सों, कहानियों, दंतकथाओं, और नीतिकथाओं का प्रयोग करके, इस पुस्तक से हम बोध के कुछ-कुछ दुर्लभ मानवीय गुण की प्रस्तुति का प्रयास करेंगे जबकि उसे समझने का हमारा कोई दावा नहीं है।

अनुक्रम

एक

दो

तीन

चार

पाँच

छह

सात

आठ

नौ

दस

एक

साधु कौन होता है?

बोध अथवा बुद्धि क्या है? सच कहें तो यह कोई नहीं जानता। बुद्धि कोई वस्तु नहीं है; यह तो पूर्ण आवृत्ति है होने, जीने, और विश्व से व्यवहृत होने के साधारण-से-बेहतर तरीकों की। मगर वह क्या चीज है जो बेहतर और साधारण में अन्तर पैदा करती है? बोध 'सामर्थ्य है सही-सही निर्णय करने की और सर्वोत्तम कर्म करने की जो ज्ञान और समझ पर आधारित हो।' ज्ञान और समझ हमें किस प्रकार बुद्धिमान बनाते हैं? 'यह तो मात्र जानने और समझ से परे की चीज है।' अय्यूब के अनुसार, 'बुद्धि शून्यता या कुछ नहीं से बनी है।'[2]

बुद्धिमान अथवा ज्ञानी व्यक्ति कसी मत की शिक्षा नहीं देता और बुद्धि अथवा ज्ञान किसी पंथ विशेष का अनुसरण करता प्रतीत नहीं होता। फिर भी कुछ चिह्न इसके अस्तित्वमान होने की ओर संकेत करते हैं : लीक पर न चलने की प्रवृत्ति, साहस, स्वच्छंदता का निर्भीक बोध, आविष्कारशीलता, एक अदभ्य सौम्यता, उत्साह, विवेक, निष्कपटता, चरम परिणामों तक पहुँची तर्कशीलता, असीम आत्मविश्वास, निहत्था कर देने वाली सरलता, सजगता, और कभी-कभी थोड़ा पागलपन भी....

पागल कर देने वाली फसलें

एक राजा ने अपने मन्त्री से कहा कि "मैंने नक्षत्रों से जाना है कि आने वाली फसल को जो कोई भी खाएगा, वह पागल हो जाएगा।"

"हमें क्या करना चाहिए?"

मन्त्री ने उत्तर दिया, "इसका समाधान है, महाराज। हम दोनों इसे नहीं खाएँगे। हम गत वर्ष के बचे हुए अन्न में से ही आगामी वर्ष खाएँगे?"

"और दूसरे लोग?"

"महाराज, हमारे पास इतना भंडार नहीं है कि हम सभी लोगों को भोजन दे सकें। किन्तु आपके और मेरे लिए तो पर्याप्त अन्न होगा ही।"

"असम्भव!" राजा ने कहा। "जब हमारी प्रजा ही पागल हो जाएगी तो भला हम कैसे स्थिर चित्त बने रह सकते हैं? इसका अर्थ तो यह हुआ कि हम अपनी प्रजा से ही विमुख हो जाएँगे। नहीं, नहीं, हम भी इस पागलपन में सम्मिलित होंगे, उसका हिस्सा बनेंगे, क्योंकि यदि हम एक विक्षिप्त जगत में स्थिरचित्त बने रहे तो लोग तो यही सोचेंगे न कि हम भी पागल ही हैं।"

"किन्तु हम इस निर्णय की स्मृति को बनाए रहेंगे। हम अपने मस्तक पर पागलपन का चिह्न बना लेंगे। इस प्रकार, मैं जब भी तुम्हें देखूँगा, और तुम जब भी मुझे देखोगे, हम दोनों को ही यह ज्ञात होगा कि हम पागल हैं।"[3]

पागलपन का चिह्न, निश्चित रूप में, यह कहानी ही है। बुद्धि यहाँ हमें यह स्मरण कराती है कि जगत पागल जैसा देखा जा सकता है। बुद्धिमान लोग इन चिह्नों को पढ़ते हैं और खो जाने से बचने के लिए नए चिह्न बना लेते हैं।

ज्ञान का सामना

एक बूढ़ा साधु दुनियादारी से दूर एक पर्वत शिखर पर संन्यासी का जीवन व्यतीत कर रहा था।

एक बार उसके पास पड़ोस के एक गाँव का एक व्यक्ति आया।

उस व्यक्ति ने साधु से कहा कि "दो बरस हो गए हैं" वर्षा नहीं हुई और फसल भी भरपूर नहीं हुई। पिछली फसल पूरी तरह चौपट हो जाएगी। यह अभाव जल्द ही अकाल का रूप ले लेगा क्योंकि इस समय हम उस अन्न का उपभोग कर रहे हैं जो हमने बस खाने भर का अन्न उगाने के लिए और बोने के उद्देश्य से बचाकर रखा है। और फिर, जब अगले बरस वर्षा होगी तब हमारे पास बोने को क्या होगा?"

यह बताकर उस व्यक्ति ने साधु से उसकी सलाह माँगी।

साधु ने कहा :

"जिस गाँव वाले के पास जितना अन्न है वह लेकर आए। जीवित रहने के लिए उसमें से आधा खाओ, और शेष आधा बो दो, किन्तु सबसे उपजाऊ खेतों में तुम सब साथ-साथ खेती करो। कुँओं से जल लेकर उनकी सिंचाई करो। और जब फसल तैयार हो जाए तो उसे आपस में बाँट लेना। अब तो धनी भी निर्धनों के समान निर्धन हैं। यह अवसर है बदलने का और साझेदारी करना सीखने का।"

"आप तो ज्ञानी हैं।" उस ग्रामीण ने कहा।

ग्रामीण को नमन करते हुए, साधु ने विनयपूर्वक कहा :

"नहीं, ज्ञानी तो वह व्यक्ति होता है जो ज्ञान का ग्रहण कर सकता है।"

अतः, प्रिय पाठक, जब आपको इन कहानियों में कुछ ज्ञान प्राप्त होगा तब, आपको पता चलेगा कि आप तो पहले से ज्ञानी हैं।

दार्शनिक

एक बार एक युवक खोजते-खोजते एक दार्शनिक के पास पहुँचा और उससे प्रश्न किया :

"मैं ज्ञानी बनना चाहता हूँ। मैं अपना लक्ष्य किस प्रकार प्राप्त कर सकता हूँ?"

उस दार्शनिक ने गहरी साँस लेते हुए, पुस्तकों की अलमारियों से छत तक पटे अपने कक्ष की दीवारों को ताकते हुए कहा :

"इनमें से एक पुस्तक में एक युवक की कहानी है जो ज्ञान-पथ के दिशा-निर्देश के लिए एक बूढ़े दार्शनिक के पास गया था। उस बूढ़े दार्शनिक ने गहरी साँस लेते हुए कहा थाः

"बहुत पहले की बात है, तुम्हारी तरह ही दिखने वाला एक युवक ज्ञानी बनना चाहता था। उसकी इच्छा अत्यंत तीव्र थी। एक बार उसकी भेंट एक दार्शनिक से ठीक वैसे ही हुई जैसे इस समय हम यहाँ, और उसने उस दार्शनिक से पूछाः मैं ज्ञानी कैसे हो सकता हूँ?"

"लोग प्रायः दर्शन का अध्ययन कर चुके दार्शनिकों को यह समझते हैं कि उन्होंने ज्ञान प्राप्त कर लिया है और उसमें आनंदित हुए हैं," पहले दार्शनिक ने कहा।[4]

शायद ज्ञान के मार्ग पर कोई ज्ञानी व्यक्ति नहीं होता, मात्र प्रशिक्षु होते हैं। शायद ज्ञान या बुद्धि का प्रारंभ इस जानकारी से होता है कि आप सदा ही एक प्रशिक्षु से अधिक और कुछ नहीं होंगे।

मार्गान्वेषण

"कौन मूर्ख होगा जो मरने से पहले कम से कम एक बार अपने कारागार के चक्कर न लगा ले?"

—मार्गरीट युरसिनार

अपनी किशोरावस्था में, लूई एक औसत विद्यार्थी था। वस्तुतः उसने कभी यह दिखावा करने का प्रयास ही नहीं किया कि उससे जो सीखने और दुहराने को कहा जाता है वह उसमें विश्वास भी करता है।

बाद में उसे अपने पहले कामों से सामंजस्य बैठाने में कठिनाई हुई। उसे ऐसे काम बार-बार करने को कहा गया जिसमें उसकी कोई रुचि ही नहीं थी। काम के लिए जिस समर्पण की दरकार थी, वह उसे एक असहनीय बोझ लगता था। वह ऊब जाता था। और इससे भी खराब बात यह कि वह अपना जीवन व्यर्थ कर रहा था।

उसके माता-पिता को उससे अपेक्षा थी कि वह विवाह करेगा, परिवार बनाएगा, और बच्चे पालेगा। उन्हें आशा थी कि वह अपना घर बसाएगा, सफलता अर्जित करेगा, एक घर और एक अच्छी-सी कार खरीदेगा, बचत खाता खोलेगा और अपने रिटायरमेंट की व्यवस्था करेगा। किंतु इस जीवन शैली में उसे कोई भी आकर्षण नहीं दिखता था। उसने परिपाटी से बंधकर रहने में, भय में जीने में कोई रुचि नहीं दिखायी और अपने जीवन को सुरक्षा के नाम पर एक संकुचित दायरे में बँधने नहीं दिया।

उसे बाधाओं और चिन्ताओं से मुक्त, बिंदास रहना ही पसन्द था।

संक्षेप में, वह जीवन को एक उपहार, एक प्रफुल्ल, साहसिक कारनामे के रूप में जीना चाहता था, कर्तव्यों और दायित्वों के पुलिन्दों के रूप में नहीं। और इसके जोखिमों से निपटने को भी वह तैयार था।

एक दिन उसने नौकरी से त्यागपत्र दे दिया, अपना फ्लैट छोड़ दिया और विश्व भ्रमण पर चल दिया।

उसके माता-पिता ने पूछा, "तुम वापस कब आओगे?" उसने उत्तर दिया—"आप जब भी घर से जाते हैं, अपनी चाबी अपने साथ ले जाते हैं, अर्थात् आप पहले

ही यह निर्णय कर चुके होते हैं कि आपको लौटना ही है। यदि आप वापसी का टिकट लेकर यात्रा करते हैं तो, आप घर नहीं छोड़ते अपितु यात्रा पर जाते हैं। मेरे पास न तो चाबी है और न ही वापसी का टिकट।"

उसने यह कहकर विदा ली कि "टैगोर ने कहा है 'जहाँ पंथ बनते हैं, मैं रास्ता भूल जाता हूँ' और मैं विभिन्न तरीकों से टैगोर का अनुसरण करने जा रहा हूँ।'[5]

सत्य क्या है?

एक व्यक्ति परम और निश्चित सत्य की खोज करना चाहता था। सबसे पहले उसने स्वयं को संसार के समस्त सुखों को विधिवत समर्पित किया। उसने ऐन्द्रिक सुखों का आनन्द लिया, गन्धों, रंगों, ध्वनियों और स्वादों का विश्लेषण किया। उसने स्वाद की सूक्ष्मताओं और अन्दाज और विलासिता के परिष्कृत लालित्य की गवेषणा की। उसने सर्वाधिक स्वादिष्ट सुराओं और सर्वोत्तम व्यंजनों की परख करनी सीखी और यह जाना कि प्रगाढ़तम चुम्बन कैसे दिया और लिया जा सकता है। किन्तु जल्द ही ये आनन्द व्यर्थ हो गए और वह उनसे घर गया। उनमें कोई परम सत्य नहीं था। सत्य कहाँ मिल सकता था?

उसने विश्व भ्रमण प्रारम्भ किया और तरह-तरह के पुरोहितों, भ्रमणों, भेषज गुरुओं, जादू-टोना करने वालों, ज्योतिषियों, ओझाओं, साधुओं और चमत्कार करने वालों से भेंट की। किन्तु उसे उनके ज्ञान में रत्ती भर सत्य ही प्राप्त हुआ। उसकी परम सत्य की खोज कभी पूरी नहीं हुई। वह किंचित निराश-सा घर लौटा, किन्तु उसे यह पता चल गया था कि : परम सत्य कहीं या किसी में भी नहीं है। उसे सत्य मिला भले ही नहीं, पर वह उसकी खोज में लगा रहा। अब वह घर पर ही रहने लगा, उसने बाहर कहीं भी आना-जाना छोड़ दिया। उसने सभी धर्मों का अध्ययन किया, सभी तरह के तप किए, प्रार्थना की, पूजा-अर्चना की और अनादिकाल से पूजित या आवाहित तमाम देवी-देवताओं को पूजा, उनका आवाहन किया। एक दिन उसने यह सब बन्द कर दिया। वह किंचित निराश हुआ, किन्तु एक बार फिर उसे एक नयी बात का पता चला कि : वर्तमान से परे किसी ईश्वर अथवा किसी सत्ता का कोई प्रमाण नहीं है। उसने यह भी देखा कि इस विषय में काई निश्चितता भी नहीं हो सकती है।

अब वह बूढ़ा हो गया था।

फिर भी, वह अब भी यही सोचता रहता था कि सत्य क्या है। फिर अपने साठवें जन्म दिन पर उसे आभास हुआ कि वह हमेशा गलती पर रहा। वह सोचता तो यह था कि वह सत्य की खोज कर रहा है, जबकि अब तक वह केवल निश्चितताओं को खोजने का प्रयास करता रहा। अब वह जान गया था कि निश्चितता कहीं भी नहीं मिल सकती।

अन्ततः जब वह व्यक्ति मृत्यु की दहलीज पर पहुँचा (और इस बात से

अब भी अज्ञान था कि इससे क्या होगा) त्रो, उसके हाथ कुछ सत्य लग ही गया। वह सत्य था कि : अनिश्चितता ही जीवन की अंतिम वास्तविकता है, और उसकी चालक शक्ति भी और वह स्थान भी जिसके भीतर स्वच्छन्दता या मुक्ति मिल सकती है; यही आध्यात्मिकता का मूल है, और वास्तविक आनन्द का स्रोत भी।

बोधिधर्म

लंका नरेश के सबसे छोटे पुत्र का जन्म लगभग 500 ई. में हुआ था। उसका परीक्षक महान गुरु हन्या तारा था।

एक दिन, राजा ने हन्या तारा को एक अनमोल रत्न दिया। बोधिधर्म के आचार्य ने उससे और उसके दो भाइयों से प्रश्न किया–

"क्या पूरे जगत में ऐसी कोई वस्तु है जो इस रत्न से अधिक मूल्यवान हो?"

बड़े राजकुमार ने विनयपूर्वक उत्तर दिया–

"हमारे गुरु के पास जगत की सबसे सुन्दर निधि है!"

दूसरे राजकुमार ने कहा–

"यदि हम सारा जीवन संसार में खोजते भी रहें तो, हमें ऐसा रत्न नहीं मिलेगा।"

आठ वर्षीय बोधिधर्म की बारी आयी तो, उसने कहा–"यह रत्न एक श्रेष्ठ निधि है, किन्तु यह इस संसार की निधि है। इसके मूल्य को समझना एक प्रकार की प्रज्ञा है, किन्तु यह प्रगाढ़ प्रज्ञा नहीं है। सच्ची प्रज्ञा तो बड़ी से बड़ी निधि से भी अधिक मूल्यवान है, और वह है स्वयं को समझना, क्योंकि स्वयं को समझकर व्यक्ति सभी व्यक्तियों को समझता है।"[6]

प्राचीन यूनानियों ने भी हमें यही शिक्षा दी है कि–"स्वयं को जानो और तुम जगत और उसके देवों को जान जाओगे", और थोमा ने भी कहा है कि–"जो स्वयं को पा लेता है, संसार उसके योग्य नहीं है।"[7]

सुलेमान

सुलेमान ईश्वर से पराक्रम या महिमा की प्रार्थना करने के लिए ख्यात नहीं है...वह अपनी बुद्धिमानी के लिए प्रख्यात है। यहाँ उसके निर्णय की वह कथा प्रस्तुत है जिसने उसे प्रसिद्धि दी।

दो वेश्याएँ राजा सुलेमान के सामने आकर खड़ी हो गईं।

एक ने कहा—

"महाराज, यह औरत और मैं एक ही घर में रहती हैं; और जब वह मेरे साथ घर में थी तो, मैंने एक बच्चे को जन्म दिया। फिर उसके तीसरे दिन इस औरत ने भी एक बच्चे को जन्म दिया। और हम अकेली थीं। और कोई भी नहीं था; घर में बस हम दोनों थीं। रात में इस औरत का बच्चा मर गया, क्योंकि वह बच्चे के ऊपर लेट गई थी। वह रात में उठ गई और उसने मेरे पास से मेरे बच्चे को उठा लिया, जबकि मैं, आपकी दासी, सो रही थी। उसने बच्चे को अपनी छाती से लगा लिया और अपने मरे बेटे को मेरी छाती पर लिटा दिया। जब सुबह मैं अपने बच्चे को दूध पिलाने उठी तो मैंने देखा कि वह मर चुका है। किन्तु जब मैंने उसे गौर से देखा तो मुझे पता चला कि वह तो वह बच्चा ही नहीं था जिसे मैंने जन्म दिया था।"

दूसरी औरत ने उसकी बात काटते हुए कहा, "नहीं, जो बच्चा जीवित है वह मेरा है, और जो बच्चा मर गया है वह तुम्हारा है।" तब पहली औरत ने पलटकर कहा, "नहीं, मरा हुआ बच्चा तुम्हारा है, और जीवित बच्चा मेरा है।" इस प्रकार वे राजा के समक्ष बहस करने लगीं।

तब राजा ने कहा, एक कहती है कि "यह जीवित बच्चा मेरा है, और तुम्हारा बच्चा मर गया है", और दूसरी कहती है, "नहीं, तुम्हारा बच्चा मर गया है, और मेरा जीवित है।"

तब राजा ने आग्रह किया, "मुझे एक तलवार लाकर दो" और राजा को एक तलवार लाकर दी गई।

राजा ने कहा, "जीवित बच्चे के दो टुकड़े किए जाएँ; एक हिस्सा एक को दिया जाए और आधा दूसरी को।"

दूसरी औरत ने कहा, "इस प्रकार न वह मेरा रहेगा, न तुम्हारा; उसके दो

टुकड़े कर दिए जाएँ।"

"नहीं, महाराज, जीवित बच्चा उसे दे दें, मगर किसी भी सूरत में उसे मारें नहीं," पहली औरत ने कहा।

तब राजा ने उत्तर में कहा, "जीवित बच्चा पहली औरत को दे दिया जाए, और उसे किसी भी सूरत में मारा न जाए; वही इस बच्चे की माँ है।"

कहते हैं राजा के इस न्याय की बाबत पूरे इस्राइल ने सुना, और वे हैरत में पड़ गए, क्योंकि उसके न्याय में उन्हें ईश्वर की प्रज्ञा दिखाई दी।

लम्बी अध्ययन मेज पर एकत्र अपने शिष्यों के समक्ष रब्बी आइज़क गोल्डमैन ने इस विषय में यह टिप्पणी की कि "वास्तव में, यदि हम ध्यानपूर्वक देखें तो, हमें यह पक्का नहीं पता कि जो औरत उस जीवित बच्चे को त्यागने को तैयार थी वह वास्तव में उसकी माँ थी। हम तो यह जानते हैं कि बच्चे को जीवित रखने के लिए दो में से एक औरत ने उसे दूसरी को देना स्वीकार कर लिया।

सुलेमान ने किस विधि और किस सिद्धान्त के अमल के तहत यह न्याय किया? ऐसा कोई विधान और सिद्धान्त नहीं है। दोनों ही वादियों को सन्तुष्ट किया जा सके, इसके लिए सुलेमान ने बच्चे के दो टुकड़े करने का निर्णय किया। उसे नहीं पता था कि बच्चे की माँ कौन है, फिर भी यह जानने के लिए उसने यह किया।

सुलेमान ने सत्य के पीछे न जाकर वह जानना चाहा जो सही और न्यायोचित था, और जो न्यायोचित था शायद उसने सत्य को उजागर किया। उसकी बुद्धिमानी सत्य से विरल होने की उसकी योग्यता में निहित थी। उसने एक निर्णय लिया, और फिर उसे निरस्त करने में कोई संकोच नहीं किया। इस प्रकार उसने एक ही मामले में दो निर्णय दिये। उसने समस्या को टाला नहीं, वरन उसका निपटारा किया। उसने किसी विधान किसी परम्परा, या किसी विनियम को थोपा नहीं; उसने समाधान ढूँढ़ा। यही प्रज्ञा है।"[8]

एक आसन, दो कर्मापा

(एक कथा प्रत्याशा की)

तिब्बत पर चीन का कब्जा हुए एक लम्बा समय बीत चुका था, जब कर्मा काग्यू वंश के मुखिया परम पावन सोलहवें कर्मापा का निर्वासन में देहान्त हो गया।

उस समय वंश के चार प्रशासक प्रतिनिधि राज्य का सामान्य काम काज देख रहे थे और अपने महान स्वामी के पुनर्जन्म की प्रतीक्षा कर रहे थे। किन्तु इस प्रकार कितने ही वर्ष बीत गए। तिब्बत पर चीन के आधिपत्य से कोई बात नहीं बनी थी।

एक दिन, उन चार प्रशासक प्रतिनिधियों में से एक, ताई सीतू रिनपोचे, को एक मूल्यवान अस्थिपात्र का स्मरण हो आया जो उसे कर्मापा ने दिया था। उसने उसे ध्यानपूर्वक देखा परखा और उसके अन्दर उसे परम पावन कर्मापा का एक पत्र मिला। इस पत्र में कर्मापा ने अपने भावी जन्म स्थान का स्पष्ट संकेत दिया था। पत्र के अनुसार, कर्मापा का अगला जन्म तिब्बत के खाम प्रान्त में होना था। अतः ताई ने उसकी खोज में भिक्खुओं का एक प्रतिनिधि मंडल वहाँ भेजा। अन्ततः भिक्खुओं को उरग्येन त्रिनले दोरजे नाम का एक बच्चा मिला जो कर्मापा के पत्र में दिए विवरण से मेल खाता था।

किन्तु एक अन्य प्रशासक शमर रिनपोचे ने ताई सीतू रिनपोचे पर जाली दस्तावेज बनाने का आरोप लगाते हुए यह दावा किया कि उसे कर्मापा के नए जन्म का पता चला है : वह मीफाम रिनपोचे का पुत्र त्रिनले यापे दोरजे है।

इस प्रकार दो टुलकू हो गए। दोनों ही पारम्परिक प्रामाणिकता परीक्षा में सफल रहे। दोनों को, भिन्न धार्मिक और राजनीतिक संगठनों ने गद्दी पर बैठा दिया। दलाई लामा ने सोलहवें कर्मापा के टुलकू के रूप में उरग्येन त्रिनले दोरजे को मान्यता दे दी। किन्तु शमर रिनपोचे इसी बात पर अड़ा रहा कि उसने स्वामी के असली पुनर्जन्म का पता लगा लिया है, और इस प्रकार उसने त्रिनले थाये दोरजे का अभिषेक कर दिया।

निर्वासित तिब्बती समुदाय विभाजित हो गया। नई दिल्ली, गंगटोक और रूमटेक में तो दोनों प्रशासकों के समर्थकों और अनुयायियों के बीच हाथापाई भी हो गई! इसमें कुछ को चोटें आई और कुछ मारे भी गए। इसके बाद स्थिति यह

हो गई कि अंगरक्षकों के बिना दोनों प्रशासकों का कहीं आना-जाना भी असम्भव हो गया!

स्थिति तब और बिगड़ गई जब शमर रिनपोचे ने ताई सीतू रिनपोचे पर चीन का जासूस होने का आरोप लगा दिया और भारत सरकार को इसकी खबर कर दी। उस समय भारत-चीन सम्बन्ध तो बिगड़े ही हुए थे, अतः ताई सीतू पर उसके अपने ही मठ-स्थान भारत में दस वर्ष का प्रतिबन्ध लगा दिया गया।

इधर ताई सीतू को गुरु रिनपोचे का लिखा एक प्राचीन ग्रन्थ मिला जिसमें तिब्बती बौद्ध धर्म के संस्थापक ने यह भविष्यवाणी की थी कि कर्मापा के सोलहवें और सत्रहवें पुनर्जन्म के बीच एक प्रतिनिधि प्रशासक फूट डालेगा। उसने दावा किया कि यह प्रशासक और कोई नहीं, शमर रिनपोचे था। किन्तु शमर रिनपोचे के समर्थकों को यह तर्क स्वीकार नहीं हुआ, क्योंकि गुरु रिनपोचे का काल आठवीं शताब्दी था और उस समय कर्मापा वंश अस्तित्व में भी नहीं आया था। इसका प्रादुर्भाव बारहवीं शताब्दी में हुआ था।

पूरे विश्व में बौद्ध भक्तों और मित्रों को एक न एक पक्ष के समर्थन में आना पड़ा!

यह किसलिए हुआ?

वर्ष बीतते गए और नए-नए रहस्योद्घाटन और आक्रमण होते रहे। कुछ लोगों ने यह तर्क देकर मामला शान्त करने का प्रयास किया कि दोनों प्रशासकों ने इस तरह से गुपचुप साठगांठ कर रखी है कि इस विप्लव की स्थिति को सम्भाला जाए और असली कर्मापा की चीनी सरकार से रक्षा की जाए। उन्हें आशंका थी कि चीन की सरकार कर्मापा का अपहरण करना चाहती है। दूसरे लोगों का कहना था कि कर्मापा का ज्ञान बौद्ध समुदाय की परीक्षा ले रहा था। अनेक लोग अपेक्षा कर रहे थे कि नकली कर्मापा की उसके महा अभिषेक के दिन मृत्यु हो जाएगी।

दोनों ही टुलकू बड़े होकर कर्मा काग्यू परम्परा के योग्य प्रतिनिधि बने। दोनों ही विद्वान और साधु थे। दोनों ही प्रशंसनीय बोधिसत्व थे। एक दिन उन दोनों को एक औपचारिक सभा का निमंत्रण मिला, किन्तु दोनों में से किसी को भी दूसरे के वहाँ आने का कोई आभास नहीं था। दोनों टुलकू पहली बार आमने-सामने आए। तमाम अपेक्षाओं के विपरीत, उन्होंने एक दूसरे को झुककर अभिवादन किया।

पहले ने कहा :

"हे जन्म-चक्र के सर्वोच्च विजेता, मैं आपको दंडवत प्रणाम करता हूँ और मैं सम्यक स्व बुद्ध के मार्ग से हट जाता हूँ।"

"मैं देख रहा हूँ कि अनादि काल से आप बार-बार मेरी माँ की भूमिका में रहे हैं," दूसरे ने उत्तर दिया। "मार्ग तो आपके लिए मुझे छोड़ना चाहिए, हे सम्यक कर्म प्रसूत। आप ही सत्रहवें कर्मापा है।"

"सांग्ये, आप बाधाओं को निरस्त करते और ज्ञान से प्रकाशित करते हैं। मुझे कर्मापा होने की कोई स्मृति नहीं है जबकि आप निस्सन्देह समस्त बुराइयों के उपचारक, स्थिर चित्त, चरम सुख काया, सत्रहवें कर्मापा हैं।"

"जन्म-चक्र और मुक्ति एक ही घटना हैं। हे जगत के प्रकाश, सत्य प्रज्ञा के ज्ञान के प्रकाशक, मेरे मन में किसी विगत जन्म की कोई धारणा नहीं है।"

उपस्थित जन नमन और शिष्टाचार के इस अप्रत्याशित आदान-प्रदान से दंग थे। प्रत्येक उत्तर के साथ उस पक्ष विशेष के समर्थकों को जीत की आशा कुछ और धूमिल होती दिखती थी, किन्तु वे धीरे-धीरे उनके झगड़ों की गौणता को भी समझ रहे थे।

"जन्म तथा पुनर्जन्म, अस्तित्व तथा अनस्तित्व, अस्पष्ट मन तथा मन की विशुद्ध प्रकृति, हे समस्त विवादकों के अभिमान के विनाशक, हे परम कांतिमान, आपकी अ-धूमिल अपरिवर्तित मन की एकीकृत दृष्टि की कोई भी वस्तु परिवर्तित नहीं कर सकती। कृपया प्रज्ञा के पथ पर हम सभी का मार्गदर्शन करें।"

"हे परम उत्कृष्टता के भण्डार, पुनर्जन्म की प्रकृति अत्यंत सूक्ष्म है। हम किसी पूर्व जन्म के अस्तित्व को प्रमाणित नहीं कर सकते, किन्तु प्रमाणित तो यह भी नहीं किया जा सकता कि उसका अस्तित्व नहीं है। पुनर्जन्म एक सिद्धांत है और कोई भी अवधारणागत निश्चितता अरूप मन पर अस्पष्टता को निर्मित करती है। विवाद व्यर्थ और निराधार हैं। कोई स्व नहीं, स्व का कोई निर्धारण नहीं। हे तथागत, परम शून्य काया, मैं आपसे विनती करता हूँ कि आप वंश के प्रमुख बनें। ज्ञान-पिपासा को शान्त करने वाले अमृत-स्रोत, कृपया कर्मापा की गद्दी को स्वीकार करें।"

"मन समस्त वस्तुओं का सार है, मन में सभी सम्भावनाएं निहित हैं। एक कर्मापा, दो कर्मापा, अथवा कोई भी कर्मापा नहीं। हे स्थिर चित्त, मन की प्रकृति के साकार रूप, देवताओं और मुनष्यों के गुरु, कर्मापा की गद्दी सम्भालें और हे परम पावन, मुझे अपना विश्वसनीय शिष्य स्वीकार करें।"

"क्या कोई कर्मापा था? क्या कोई कर्मापा है? हममें से कौन कर्मापा है? समस्त प्राणी कर्मापा हैं! हे वंश के सर्वशक्तिमान संस्थापक, आप अज्ञान का अन्धकार मिटाते हैं। हे मुक्त प्रवर और सभी के मुक्तिदाता, विश्व पूजित बुद्ध, मैं आपसे विनती करता हूँ कि मेरे गुरु बनें।"

"असीम मन, बाधामुक्त, अजन्मा, असृजित, परम ज्ञान के उत्तराधिकारी, जन्म-मरण से मुक्त, धर्मगुरु, जगत के स्वामी, मेरे पास आपको सिखाने को कुछ भी नहीं है। गद्दी को स्वीकार करें, समस्त प्राणियों की इच्छा पूरी करें, और दुख के महासागर को सुखा दें।"

"रूप शून्य है और शून्यता ही रूप है। हे प्रबुद्ध मन के सार, शून्य की

अवधारणा न करने वाले, समस्त अवधारणाओं से परे, स्वयंभू, महाजोत के प्रकाशक, हम सब आपसे विनती करते हैं कि संघ के प्रति करुणा करते हुए सिंहासन को स्वीकार करें।"

इस प्रकार कितने ही घंटे बीत गए। वे एक-दूसरे को सर्वोच्च रिनपोचे का पद स्वीकार करने की अथक पेशकश करते रहे। यह अधिकाधिक स्पष्ट हो गया था कि उनमें से कोई भी उसे स्वीकार करने का इच्छुक नहीं था। वे उससे दूर ही रहना चाहते थे। इस सभा के बाद शायद कोई कर्मापा रहने वाला नहीं था।"

"कोई इच्छा नहीं, कोई आवश्यकता नहीं। केवल किसी विहार में जाकर समस्त प्राणियों के हितार्थ अभ्यास करने की अभिलाषा। समस्त बुद्धों के कर्मों के स्रोत समस्त विधान के शासक, कर्मापा के वेष में बुद्ध के रूप, आप जिन हैं, समस्त सजग प्राणियों की प्रेरणा हैं।"

"हे सर्वज्ञ, सिद्ध गुरु, जो अज्ञानी को ज्ञानी बना देते हैं, आप असंख्य प्राणियों को उस योग्य हो जाने पर शिक्षा देते हैं, आप समस्त प्राणियों को अपने ज्ञान से आकर्षित करते हैं।"

"हे जगत की ज्योति, सच्ची प्रज्ञा के ज्ञान के प्रकाशक, एक बार पुनः समस्त प्राणियों के हितार्थ धर्म-चक्र-प्रवर्तन करें।"

तब, ताई सीतू रिनपोचे ने बीच में कहाः

"कर्मा काग्यू के वंश के प्रतिनिधि प्रशासक के रूप में, मैं कहता हूँ कि दोनों ही निर्विवाद रूप में कर्मापा हैं। दोनों कर्मापा कर्मा काग्यू वंश के मुखिया होंगे।"

तब शमर रिनपोचे ने कहाः

"बुद्ध की अनंत करुणा दोनों कर्मापाओं में अभिव्यक्त हुई है। उनका जन्म चाहे जिन परिस्थितियों में हुआ हो, वे सभी विधाओं में विद्वता प्राप्त कर चुके हैं, पूर्ण सिद्ध हैं, उन्होंने अंतिम सत्य को प्राप्त कर लिया है। अपनी नियति को स्वीकार करें और दोनों कर्मा काग्यू सम्प्रदाय के प्रमुख बनें।"

दोनों ने एक दूसरे का आलिंगन किया, एक-दूसरे के प्रति सम्मान प्रदर्शित करते हुए धीरे से अपने मस्तकों का परस्पर स्पर्श किया।[9]

प्रज्ञावान युधिष्ठिर

युधिष्ठिर हिन्दुओं के महाकाव्य 'महाभारत' का एक नायक है जिसमें आदिकाल से ही देवताओं और मनुष्यों की गाथा कही गई है। वह प्रथम पुरुष, पुण्य के देवता और मृत्यु लोक के शासक यम का पुत्र था। युधिष्ठिर शान्त, निर्णय करने में सन्तुलित, सच्चरित्र था, और उसे सबसे न्यायप्रिय और प्रज्ञावान पुरुष माना जाता है।

एक दिन, मानवजाति के जनक धर्म ने एक यक्ष के रूप में युधिष्ठिर के समक्ष प्रकट होकर उससे प्रश्न किया :

"पवन से गतिमान कौन है?"

"पवन से अधिक गतिमान मन है।"

"घास से अधिक प्रचुर कौन हैं?"

"मैदानों में जितनी घास उगती है, उससे अधिक मनुष्य के मन में विचार आते हैं।"

"सच्चा यतीत्व क्या है?"

"मन पर नियंत्रण करना।"

"पुण्य का सर्वोच्च आश्रय क्या है?"

"दानशीलता।"

"यश से सर्वोत्तम सुरक्षा क्या है?"

"यश से सर्वोत्तम सुरक्षा दयालुता है।"

"विचारों की सर्वोत्तम सुरक्षा क्या है?"

"सत्य।"

"और सुख के लिए, सुरक्षित स्थल क्या है?"

"धैर्य।"

"धैर्य क्या है?"

"इन्द्रियों और इच्छाओं को वश में करने से धैर्य आता है।"

"समस्त आश्रयों में, सर्वोच्च क्या है?"

"दान।"

"क्या त्यागने पर व्यक्ति दयालु और हितैषी बन जाता है?"

"अभिमान त्यागने से मनुष्य दयालु और प्रियकर हो जाता है।"

"अभिमान क्या है?'

"अभिमान यह विश्वास है कि आप स्वयं अपने जीवन के नियामक हैं।"

"क्षमा की मूल प्रकृति क्या है?"

"वैमनस्य को सहन करना।"

"लज्जा से कैसे बचा जा सकता है?"

"अयोग्य कर्मों का त्याग करके।"

"कौन-सा शत्रु अदृश्य होता है?"

"क्रोध।"

"कौन-सा रोग अत्यंत दुसाध्य है?"

"लोभ।"

"दुख का कारण क्या है?"

"अतिशय आसक्ति।"

"दुख कहाँ उत्पन्न होता है?"

"अधैर्य में।"

"दुष्टता क्या है?"

"भला न देखकर बुरा देखना।"

"करुणा क्या है?"

"सभी प्राणियों के सुख की कामना करना।"

"दान क्या है?"

"समस्त प्राणियों की रक्षा करना।"

"किस मनुष्य को बेईमान समझा जा सकता है?"

"जिसमें दया नहीं, वह बेईमान है।"

"कौन सबसे भाग्यशाली है?"

"जो आनन्द और निराशा, सुख और दुख, भूत और भविष्य से ऊपर उठ चुका है।"

"सर्वोत्तम सुख क्या है?"

"सन्तोष।"

"सबसे प्रशंसनीय गुण क्या है?"

"कौशल।"

"आलस्य क्या है?"

"अपने कर्तव्यों का पालन न करना आलस्य है।"

"कर्तव्य क्या है?"

"आपको जो करना है उसे अपनी पूरी योग्यता के साथ करें, किसी फल

विशेष की अपेक्षा न करें, सफलता और असफलता में समान दृष्टिकोण रखें। कर्म में, विषय अथवा कर्म से आसक्ति न रखते हुए कार्य करें, वस्तुओं को उनकी विशुद्ध स्थिति में और उनकी गोपनीयता में रहने दें।"

"सर्वोच्च कर्तव्य क्या है?"

"किसी को हानि पहुँचाने से बचना।"

"किसे त्यागने से कोई खेद नहीं होता?"

"आशा को त्यागने से कोई खेद नहीं होता।"

"शान्ति क्या है?"

"भावनाओं पर नियंत्रण।"

"भावनाओं पर नियंत्रण कैसे होता है?"

"निर्णय करने से बचकर, द्वैत के भीतर एकत्व की दृष्टि में स्थिर रहकर। फिर सुख और दुख, गरम और शीतल, अभिमान और विनम्रता एक ही सिक्के के दो पहलू हैं।"

"सरलता क्या है?"

"शांतचिन्ता नितांत सरल होती है। इसका अभिप्राय होता है सोना, मिट्टी और पाषाण को एक ही दृष्टि से देखना। संत, श्वान और श्वानाहारी को एक समान समझना।"

"सबसे मूल्यवान त्याग क्या है?"

"इच्छा का त्याग, क्योंकि इच्छा ही वस्तुओं को मूल्यवान बनाती है।"

"इच्छा की मूल प्रकृति क्या है?"

"इच्छा की उत्पत्ति विचारों में होती है, और विचारों का जन्म मन में होता है। जब मन नियंत्रित होता है तो इंद्रियाँ नियंत्रित होती हैं। व्यक्ति संकल्पशील होकर स्वयं में रह सकता है।"

"सच्ची स्वच्छता क्या है?"

"स्नान करने के साथ, मन को भी सभी अशुद्धियों से स्वच्छ करना।"

"दुख का कारण क्या है?"

"भ्रम।"

"भ्रम क्या है?"

"रूप और इच्छाएँ दृष्टमान होती हैं। वास्तविकता का ज्ञान इनसे परे हैं।"

"इस जगत में वास्तविक क्या है?"

"न यह, न वह। दिक्काल से परे। रूप से परे। केवल अरूप स्थाई है।"

"किसकी उपेक्षा की परिणति त्रुटि में होती है?"

"यह भूलना कि सब कुछ मात्र एक सत्ता है।"

"सबसे मूल्यवान संपदा क्या है?"

"ज्ञान।"

"सच्चा ज्ञान क्या है?"

"जागरुकता जो जागरुकता को एक वस्तु के रूप में लेती हैं।"

"किससे ज्ञान का उदय होता है?"

"स्थिरता। जागरूकता ही यज्ञ है और जागरुकता ही आहुति है। जागरुकता ही वह है जिसके साथ यह सब होता है। ज्ञान की अग्नि सर्वस्व भस्म कर देती है। अमरता तो आहुति के अवशेष में प्राप्त होती हैं।"

"कर्म में क्या गतिहीन रहता है?"

"काया में कर्म, मन में अकर्म।"

"सर्वोत्तम धर्म क्या है?"

"सर्वोत्तम धर्म मनुष्यों को स्वयं को भयमुक्त करने की ओर ले जाता है।"

"मार्ग क्या है।"

"जो लोग अच्छे होते हैं वे मार्ग दिखाते हैं।"

"सम्यक मार्ग क्या है?"

"सभी पवित्र ग्रंथ एक-दूसरे से भिन्न हैं। ऐसा एक भी ऋषि नहीं है जिसके मत को अकाट्य माना जाए। धर्म और कर्त्तव्य के सम्बन्ध में, सत्य तो एकाकीपन और चुप्पी में छिपा है। यही वह स्थान है जहाँ, मनीषियों के साथ, हम मार्ग पर ध्यान-मनन कर सकते हैं।"[10]

अपने जैसे बनो

एक समय की बात है एक व्यक्ति विष्णु के अवतार अयोध्या नरेश राम के समान, अथवा भगवद्गीता के महान शिक्षक श्रीकृष्ण जैसा बनना चाहता था...वह एक ऐसा विद्वान बनने का सपना देखता था जिसकी बात देवगण भी सुनें, जैसे शंकराचार्य। वह टैगोर के समान कवि, अथवा विवेकानंद जैसा दार्शनिक, या कबीर जैसा ईश्वर की प्रशंसा में गीत गाने वाला बनना चाहता था...किन्तु उसके पास कहने को कुछ विशेष नहीं था, और उसकी बात कोई सुनता भी नहीं था।

उसने निश्चय किया कि वह संत बनेगा। उसने धर्म ग्रंथों और पवित्र विधानों का अध्ययन किया, भक्ति का अभ्यास किया और प्रार्थना की....कम से कम यह सब उसने अपनी साधारण योग्यताओं के अनुसार किया। प्रार्थना से उसे ऊब होने लगी; संस्कृत ग्रंथों को वह अधिक समझ नहीं पाता था, और यद्यपि वह भलाई के काम करता रहता था, फिर भी मानव मात्र के हितैषी के रूप में उसे कोई नहीं पहचानता था।

जब उसे यह समझ में आ गया कि कुछ भी हो पर संतई उसे मिलने वाली नहीं और वह कभी अवतार या संत नहीं हो सकता तो, उसने बहुत अमीर होने का निश्चय किया ताकि वह अत्यंत दानी बन सके। किन्तु उसकी इन तमाम योजनाओं ने उसे लगभग विनाश के कगार पर पहुँचा दिया। अंततः वह यह विलाप करने लगा कि वह कभी महान पुरुष नहीं बन सकता, न तो इस लोक में और न ही परलोक में।

एक दिन, उसकी भेंट स्वामी आनंदबाबा से हुई।

स्वामी आंनदबाबा ने उससे कहा, "जब मैं परलोक जाऊँगा तो, मुझसे यह नहीं पूछा जाएगा कि तुम शंकराचार्य या टैगोर क्यों नहीं बने? मुझसे यह पूछा जाएगा कि तुम आनंद बाबा क्यों नहीं बने?"[11]

पर्वत भंजक

हम में से कुछ लोग यह कामना करते हैं कि काश वे कोई और होते, फर्क होते...यदि मैंने वह किया होता, काश मैं वह होता, एक दिन जब मैं...मुझे सन्तुष्टि होगी, आनंद होगा, परितृप्ति होगी।

एक बार की बात है, एक बूढ़ा आदमी था, जिसका काम था पहाड़ से पत्थर तोड़ना और उनकी बजरी बनाना जिनसे सड़कों का निर्माण होता। वह हर दिन चिलचिलाती धूप में घंटों परिश्रम करता, उन चट्टानों को तोड़ता-कूटता। एक दिन उस देश का राजा उस ओर से निकला जहाँ वह गरीब आदमी काम कर रहा था। वह एक खूबसूरत घोड़े पर सवार था और राजसी वस्त्राभूषण पहने था। पत्थर तोड़ते-कूटते उस आदमी ने सोचा :

"काश मैं राजा होता तो, मेरे पास कितनी ताकत होती! मैं अपने राज्य में घोड़े पर सवार होकर निकलता और अपनी प्रजा के लिए कितने ही अच्छे काम करता..."

सर्वशक्तिमान परमेश्वर ने उसके विचारों को सुना और उसे राजा बना दिया। अब वह राजा की हैसियत से घोड़े पर सवार होकर, अपने पद के अनुसार बढ़िया वस्त्र पहनकर अपने राज्य में घूमता और अपनी प्रजा को अपनी कृपा और दान से मालामाल करता। किन्तु धूप बहुत तेज होती और राजा को घुटन होती।

राजा ने सोचा, "काश, मैं सूरज होता तो, मेरे पास कितनाी ताकत होती! मैं लोगों को प्रकाश देता और अपार आशीषों का स्रोत होता...."

सर्वशक्तिमान परमेश्वर ने उसके विचारों को सुना और उसे सूरज बना दिया। अब सूरज बनकर, वह सुबह से शाम तक हरेक को प्रकाश देता और अपनी हितकारी उष्णता बिखेरता। किन्तु एक बादल आसमान में आया और उसने सूरज को छिपा दिया, और धरती के मुखमंडल को एक छाया ने ढक लिया।

"अरे, नहीं! सूरज भी इतना शक्तिशाली नहीं है," सूरज ने कहा। "काश मैं बादल होता तो, मेरे पास कितनी ताकत होती! मैं वर्षा या धूप का चयन करता, और मैं लोगों के लिए अपार आशीषों का स्रोत होता..."

और सर्वशक्तिमान परमेश्वर ने उसके ये शब्द सुने और उसे एक बड़ा और भारी बादल बना दिया। वह सही समय पर वर्षा करता और किसानों की भरपूर

पैदावार होती। किन्तु एक दिन, उसे यह भान हुआ क़ि वह पर्वत के पार नहीं जा सकता, क्योंकि यह बहुत ऊँचा था।

बादल विलाप करने लगा कि "बादल भी इतने शक्तिशाली नहीं होते।" उसने सोचा, "पर्वत अधिक शक्तिशाली हैं। काश मैं एक पहाड़ होता तो, मेरी छाया लोगों के लिए सुखद होती और मैं तेज हवाओं से उन्हें बचाता, उनकी रक्षा करता..."

उसके ये शब्द सनुकर, सर्वशक्तिमान परमेश्वर ने उसे एक पहाड़ बना दिया। और पहाड़ को बड़ा गर्व हुआ। किन्तु जब उसने अपने पैरों पर दृष्टिपात किया तो, उसने क्या देखा? एक बूढ़ा आदमी जो अपने पत्थरों के टुकड़े काटकर उनसे बजरी बना रहा था जिससे सड़कें बननी थीं...[12]

अ-निर्भरता

ओबाकू गुरु नानसेन का शिष्य था। उसने कई वर्ष नानसेन की शिक्षा का अनुसरण किया, यद्यपि गुरु से उसकी कभी भेंट नहीं हुई थी। अंततः एक दिन गुरु नानसेन ने उसे साक्षात्कार की अनुमति दी और उससे पूछा :

"बोधि प्राप्त करने अथवा बुद्ध प्रकृति के दर्शन करने का क्या अर्थ है?"

ओबाकू ने कहा, "मैं किसी वस्तु पर निर्भर नहीं होना चाहता। मैं मेधा अथवा प्रज्ञा के बल पर बोधि प्राप्त नहीं करना चाहता। अतः मैं अ-निर्भरता पर भी निर्भर नहीं करता। यदि मैं बुद्ध को महत्व देता हूँ तो, मैं बुद्ध के नीचे ही बना रहूँगा। अतः आगे बढ़ने के लिए मुझे बुद्ध के सिर पर से छलांग लगानी है।"

गुरु ने कहा :

"एक नीला आकाश और एक निर्मल दिन। हमारे आसपास बुद्ध को खोजने की आवश्यकता नहीं है।"

अंतिम इच्छा होती है कोई इच्छा ही न होना! जो है उसके प्रति जागरूक होना ही संतोष है।[13]

स्वयं को बचाओ और जगत को भी

एक साधु वाराणसी की एक गली में रहता था। ठंड का मौसम था और रातें अत्यंत ठंडी और ठिठुरा देने वाली थीं, इसलिए साधु ने इस्तेमाल की हुई प्लास्टिक की थैलियाँ जमा कर रखी थीं जिन्हें धीरे-धीरे जलाकर वह गरमी ले रहा था।

मैं तीन मित्रों विष्णु, प्रकाश और गणेश के साथ था। हम साधु के साथ बैठ गए। विष्णु ने अपने वैज्ञानिक तरीके से समझाया कि प्लास्टिक की थैलियाँ जलाने से विषैला धुआँ पैदा होता है। सांस लेने पर यह धुआँ फेफड़ों में कैंसर कर सकता है, केन्द्रीय स्नायु तंत्र को और रोग प्रतिरोधक प्रणाली को कमजोर कर सकता है।

साधु ने उत्तर में कहा, "अग्नि तो आग होती है। अग्नि प्रत्येक वस्तु का अंत है। अग्नि तो प्रत्येक वस्तु को शुद्ध करती है।"

विष्णु ने साधु से कहा, "वास्तव में, इस मामले में आप इसे और नहीं देख सकते, किन्तु आपकी आग से निकला धुआँ अब भी विद्यमान है, यह वायु में है; यह बस अदृश्य है। अतः प्लास्टिक की थैलियों को नष्ट करने का सही तरीका आग नहीं है क्योंकि आग उन्हें नष्ट नहीं करती, आग तो उन्हें विषैले धुएँ में बदल देती है।"

"अच्छा!" साधु ने विस्मय से कहा।

किन्तु प्रकाश ने देखा कि साधु की समझ में अभी भी कुछ नहीं आया था। अतः उसने साधु की पौराणिक भाषा में ही उससे कहा : "प्लास्टिक की थैलियों का धुआँ असुरों की तरह होता है; असुर हमें दिखायी नहीं, देते, किन्तु वे हमारे शरीर में अपना काम करते रहते हैं।" उसने एक और तरीके से समझाया : "आपको अग्नि को केवल शुद्ध पदार्थ, जैसे लकड़ी या उपले ही अर्पित करने चाहिए। प्लास्टिक शुद्ध पदार्थ नहीं है क्योंकि इसे प्रकृति नहीं बनाती। यदि आप प्लास्टिक की थैली की अग्नि से निकले धुएँ में सांस लेंगे तो, आपका शरीर अशुद्ध हो जाएगा।" इस प्रकार प्रकाश ने शरीर के विषय में शुद्धता पवित्रता को घुसेड़ दिया, जबकि मेरा अपना मानना है कि यह वहाँ नहीं होती। फिर उसने अपने तर्कों के घालमेल में चिंताओं और अपराधबोध को भी डाल दिया और कहा, "और हम सब बीमार

पड़ जाएँगे।" सूखे उपले सस्ते होते हैं। अतः गणेश ने एक दुकानदार को काफी पैसे दे दिए कि वह साधु को काफी समय तक हर दिन चार उपले पहुँचाता रहे। उसने हमसे विनम्रता से कहा, "यह सागर में बूँद जितना है, किन्तु हम स्वयं को और जगत को ऐसे ही बचाते हैं।"

दो

गुरु और शिष्य

क्या बोध (प्रज्ञा, बुद्धिमानी) को सिखाया जा सकता है? कौन इसे सिखा सकता है? क्या इसे किसी प्रज्ञावान के श्रवण से प्राप्त किया जा सकता है? या उसके मार्ग-दर्शन से? या किसी का अनुकरण करके?

इतिहास से हमें विभिन्न बोध कथाएँ मिलती हैं, फिर भी समाचारों में हमें बहुधा नकली गुरुओं और उनके गुरुत्व के दुरुपयोग की कहानियाँ सुनने को मिलती हैं। तो सच्चे गुरु कैसे होते हैं? गुरु वह होता है जिसे किसी विशेष विषय पर पूरा अधिकार होता है। गणित के गुरु होते हैं, नृत्य या संगीत के गुरु होते हैं...आध्यात्मिक परम्पराओं में गुरु 'जाग्रत करने वाला' होता है : ''वह यथार्थ के विषय में एक आधारिक दृष्टिकोण का उद्घाटन करके अंधकार और अज्ञान को मिटाता है।'' वह शिष्य को इसके लिए बाध्य करने का प्रयास नहीं करता कि शिष्य अपनी चेतना के स्थान पर गुरु की चेतना का उपयोग करे; उसकी भूमिका शिष्य की चेतना को जगाने की होती है।

आध्यात्मिक गुरु की पहचान उसके मत, उसके वचन और उसके कर्म में विद्यमान संगति से की जा सकती है। इसके अतिरिक्त, गुरु जो शिक्षा देता है उसके पीछे प्रज्ञा के प्रति उसका प्रेम, मानव मात्र के प्रति उसकी करुणा होती है, या फिर उसके पीछे कोई विशेष लक्ष्य नहीं होता। उसके पास देने को जो कुछ भी होता है वह देता है और उसके बदले में कोई अपेक्षा नहीं रखता। अंत में, वह जो शिक्षा देता है उससे शिष्य की प्रगति होती है, जिससे कि अपनी बारी में शिष्य भी गुरु बन सकता है, स्वयं का गुरु। उनके सम्बन्ध का उद्देश्य एक-दूसरे के संदर्भ में, और परिस्थितियों के संदर्भ में, पूर्ण स्वाधीनता और स्वतंत्रता प्राप्त करना होता है। किन्तु यह सत्य है कि कभी-कभी किसी आदर्श और उसकी प्राप्ति क बीच अप्रत्याशित विचलन-व्यवधान आ जाते हैं।

गुरु जी, आपका गुरु कौन था?

महान सूफी गुरु हसन मृत्यु शय्या पर थे। उनके एक शिष्य ने उनसे पूछाः

"गुरु जी, आपका गुरु कौन था?"

हसन ने उत्तर दियाः

"मेरे हजारों गुरु थे। उनक नाम बताने में ही महीनों, शायद बरसों लग जाएँगे। मगर मैं उनमें से तीन के बारे में तुम्हें बताऊँगाः"

पहला एक चोर था।

एक दिन मैं एक रेगिस्तान में भटक गया, और आखिर में जब मैं एक गाँव में पहुँचा तो, बहुत देर हो चुकी थी और सब कुछ बंद हो चुका था। आखिरकार, मुझे एक आदमी मिला जो एक मकान की दीवार में सेंध लगाने की कोशिश कर रहा था। मैंने उससे पूछा कि रात गुजारने को कोई जगह होगी क्या? उसने कहा कि इतनी रात में तो ऐसी जगह मिलनी मुश्किल है।

"मगर तुम्हें एक चोर के साथ रहने में कोई परेशानी न हो, तो तुम मेरे यहाँ आ सकते हो," उसने कहा।

मैं उसके साथ पूरा एक महीना रहा। हर रात वह काम पर जाता। जाते समय वह कहता : "दुआ करो, ध्यान लगाओ!"

जब वह लौटता तो मैं पूछता :

"कुछ मिला?"

"नहीं, आज तो कुछ नहीं मिला! मगर कल मैं फिर कोशिश करूँगा, और खुदा ने चाहा तो...."

वह कभी निराश नहीं होता था, वह हमेशा सुखी, खुश और विश्वास से भरा होता था।

तब से, मैंने ध्यान लगाने में बरसों बिता दिए मगर कभी कुछ नहीं हुआ, न खुदा का दीदार हुआ और न कोई असाधारण घटना ही हुई। अक्सर, बहुत हताश होने पर, सब कुछ छोड़ देने का मन होने पर मैं उस चोर को याद करता जो हर रात मुझसे कहता थाः "खुदा ने चाहा तो, क्याँ पता कल हो जाए।"

मेरा दूसरा गुरु एक कुत्ता था।

एक दिन मैं प्यासा था और एक नदी पर गया। तभी एक कुत्ता भी वहाँ

आ गया। वह भी प्यासा था। वह पानी की तरफ झुका तो उसे एक कुत्ता उसे घूरता दिखा। यह उसका ही अक्स था। मगर वह डर गया; वह भौंकता हुआ वहाँ से भाग गया। फिर भी, वह इतना प्यासा था कि उसे बार-बार लौटकर वहाँ आना पड़ा। आखिर में अपने डर के बावजूद वह नदी में कूद पड़ा। इस तरह वह दूसरा कुत्ता गायब हो गया। जहाँ तक मेरी बात है तो, मुझे इसमें ईश्वर का एक चिह्न दिखाई दिया : चाहे तुम भयभीत ही क्यों न हो, तो भी तुम्हें कूदना है।

तीसरा गुरु एक बच्चा था।

मैं एक कस्बे से होकर जा रहा था कि मैंने एक लड़के को एक जलती मोमबत्ती पकड़े देखा। वह इसे मस्जिद ले जा रहा था। मैंने मजाक में उससे पूछा:

"क्या तुमने यह मोमबत्ती खुद जलाई?"

"जी हाँ", उसने जवाब दिया।

मैंने फिर पूछा :

"पहले, मोमबत्ती जली नहीं थी, और बाद में मोमबत्ती जल गई। तो यह रोशनी कहाँ से आई?"

तब वह लड़का हँसा, उसने मोमबत्ती बुझा दी और कहा : "और अब आपने रोशनी को जाते देखा। वह कहाँ गई? क्या आप मुझे बता सकते हैं?"

मैं हिल गया। उस पल मैंने जाना कि मैं कितना मूर्ख था, मैं जो यह समझता था कि मैं विद्वान हूँ और मेरे पास कितना ज्ञान है, वह सब अनिश्चित था। उसके बाद से मैंने बड़ा ज्ञानी होने का दिखावा नहीं किया। मेरा कोई एक गुरु नहीं रहा, मगर मैं एक शिष्य था, हसन ने अपनी बात खत्म करते हुए कहा। "जीवन मेरा गुरु था क्योंकि उसने जो कुछ भी मुझे दिया उससे मैंने कुछ न कुछ सीखा।"[14]

पहला साथी

प्रज्ञावान व्यक्ति सुखद लगने वाली बातें न कहकर सत्य बोलना ही पसन्द करता है। सत्य भले ही क्रूर हो, किन्तु सत्य ही वास्तव में हमारा मार्गदर्शन कर सकता और हमारे जीवन-निर्माण में हमारा सहायक हो सकता है। प्रगति इससे होती है कि हम एक-दूसरे के भ्रमों अथवा विश्वासों को साझा न करके परस्पर स्पष्ट हों।

मठाध्यक्ष प्येर बताते हैं कि उनका पहला इम्माऊस साथी एक ऐसा व्यक्ति था जो आत्महत्या का प्रयास कर चुका था। इस व्यक्ति ने आवेश में आकर अपने पिता की हत्या कर दी थी। उसे बीस साल की कैद के बाद छोड़ दिया गया था। फिर भी, निराशा और बेरोजगारी के एहसास में उसने अपनी जान लेने का प्रयास किया था।

मठाध्यक्ष प्येर को सहायता के लिए बुलाया गया और उन्होंने उस व्यक्ति से बात करने का प्रयास किया, किन्तु वह कुछ सुनने को तैयार नहीं था : उसकी एक मात्र इच्छा थी कि वह आत्महत्या का प्रयास करे और इस बार उसमें सफल हो।

मठाध्यक्ष ने बताया कि फिर मैंने परोपकार जैसा कुछ नहीं किया, बल्कि मैंने उसका उल्टा ही किया। मैंने उससे यह नहीं कहा कि, "मैं तुम्हें घर दूँगा, काम दूँगा, पैसा दूँगा, क्योंकि तुम दुखी हो", बल्कि मैंने उससे सच कहना पसंद किया : "तुम बहुत दुखी हो और मेरे पास तुम्हें देने को कुछ नहीं है। मेरे पास बिल्कुल भी पैसा नहीं है। मकान को मरम्मत की जरूरत है और जो भी जरूरतमंद और दुखी आता है उसका स्वागत करना होता है। मैं तो अपने काम, नए मेहमानों के स्वागत और आवास की मरम्मत के बीच फँस गया हूँ। मैं इतने काम नहीं कर सकता। मैं थक चुका हूँ। मगर क्योंकि तुम मरना चाहते हो और तुम्हारे ऊपर कोई बोझ नहीं है, तो तुम मुझे अपना जीवन दो, अपना जीवन मुझे देने के लिए मेरी मदद करो, ताकि हम मिलकर औरों की मदद कर सकें।"

वह तैयार हो गया।

उस व्यक्ति के पास केवल जीने के साधन का अभाव नहीं था, बल्कि उसके पास खासकर जीने का कोई कारण नहीं था। इम्माऊस समुदाय का जन्म इस प्रकार हुआ। समुदाय के सदस्यों को कुछ देना नहीं होता, बस अपनी मित्रता देनी होती है, और साथ मिलकर दूसरों की सहायता के प्रयास करने होते हैं।[15]

भाग्य और नियति

बचपन में, जॉन अपने माता-पिता का पुत्र नहीं होना चाहता था। वह उन्हें अत्यंत साधारण समझता था। उसे यह कल्पना करना पसंद था कि वह किसी राजकुमार, किसी अमीर तेल उद्योगपति या किसी धनी महिला का परित्यक्त बच्चा था और वे किसी दिन आकर उसे इस साधारण स्थिति से छुड़ा लेंगे। बहुत समय तक उसे यह आभास ही नहीं था कि अन्य बच्चों में से आधे ऐसे ही कल्पनाएँ करते रहते हैं।

बाद में, जब वह किशोर हुआ तो, उसके जीवन में सुख नहीं था। उसे यह एहसास हुआ कि वह न तो अच्छी शक्ल-सूरत वाला है और न ही उसमें कोई आकर्षण है। और उसे अपने आप से इतनी घृणा हुई कि उसने अपने गुणों को निखारने में कोई समय नहीं लगाया। वह संसार का सौंदर्य देखने और संस्कृति की बहुमूल्य राशि खोजने में असमर्थ था।

उसने प्रेम तलाशा किन्तु उसे केवल स्वार्थपूर्ण आनंद ही प्राप्त हुए। उसमें आत्म-सम्मान के अभाव से हुआ यह कि वह दूसरों को सम्मान देने, समझने या उनकी प्रशंसा करने में भी असमर्थ रहा। दूसरों ने उसे अस्वीकार कर दिया, और वह अपनी ही संवेदनहीनता के कटु एकाकीपन में सिमटकर रह गया।

युवा होने पर, जॉन ने जीवन और जगत से विद्रोह कर दिया। वह जिस भी वस्तु को परखता उसमें उसकी आत्म-घृणा ही परिलक्षित होती, और वह हर बात की परख करता। सबसे अधिक दोष वह 'समाज' में देखता था। इस प्रकार वह माओवादी, और फिर अराजकतावादी, पंक, और फिर फासीवादी बन गया। वह उस पंथ में भी समय बिताने लगा जो मानव जाति के पापों, उसकी बुराइयों, कमियों, और कमजोरियों पर ध्यान लगाता था। इस पंथ के संस्थापक मसीहा एक कठोर और अनन्य नैतिक व्यवस्था का उपदेश देते थे।

एक दिन, जीवन के विषय में उससे भी अधिक उत्सुक उसके मित्र ने शहर में आई महिला लामा अनिला रिनचेन की सभा में जाने का सुझाव दिया। सभा उस शाम होनी थी। जॉन वहाँ जाने को सहमत हो गया, किन्तु उसका अभिप्राय वहाँ हंगामा करना था।

बहरहाल, उस शाम अनिला के कुछ शब्दों ने उसका ध्यान आकर्षित किया और वह सुनने लगाः

कोई भी मनुष्य हानि पहुँचाना नहीं चाहता। व्यक्ति जो कुछ भी करता है, वह उसका प्राथमिक लक्ष्य नहीं होता। बुराई का कारण बुराई नहीं, अपितु भय है, विशेषकर पीड़ा का भय। हम जो करते हैं वह इसलिए करते हैं और हम जो होते हैं वह इसलिए होते हैं क्योंकि हम जैसे होते हैं उससे न तो बेहतर हो सकते हैं और न ही बदतर। और हमें दूसरों को भी उसी रूप में स्वीकार करना चाहिए जैसे वे हैं, क्योंकि वे भी जैसे हैं उससे भिन्न, बेहतर या बदतर नहीं हो सकते।

प्रथम तो हमें यह समझना होगा कि कोई मनुष्य किस प्रकार कार्य करता है, यह नहीं कि उसे इस या उस नैतिक संहिता, सिद्धांत अथवा आदर्श के अनुसार कैसे कार्य करना चाहिए। इसके लिए हमें अपने आप को जांचना होगा। जब हम अपने कार्यों, अपने वचनों, और अपने मन का प्रेक्षण करते हैं तो, हम समस्त प्राणियों के कार्यों, वचनों और मन का प्रेक्षण करते हैं। और तब हमारी समझ में आता है कि हमारे लिए और शेष हर किसी के लिए भी दुख कैसे उत्पन्न होता है और सुख कैसे उत्पन्न होता है।

सभा के अंत में, अनिला ने व्यक्तिगत साक्षात्कार के इच्छुक व्यक्तियों से अलग से भेंट की। जॉन ने भी आग्रह किया। वह साध्वी के समक्ष बैठ गया और अपनी बैर भाव की स्वाभाविक मुद्रा में आ गया। अनिला से उसकी आँखें मिलीं, फिर भी उनमें कोई शक्ति-संघर्ष नहीं था। साध्वी की आँखों में तनिक भी टकराव नहीं था, और युवा जॉन की घृणा धीरे-धीरे उसमें घुल गई। उसे एक क्षण को यह अनुभव हुआ कि वह साध्वी की आँखों में विलीन हो रहा है जो करुणा और प्रज्ञा के सागर के समान थीं। साध्वी ने एक बहन की तरह जॉन का हाथ अपने हाथ में ले लिया, और बिना सारी बातें जाने मानों वह समझ गई कि इस युवक में इतने वर्षों में कितने दुख जमा हो गए हैं : एक विनाशक मानसिकता में उसका बंदी होना, उसकी नकारात्मक भावनाएँ, और उनसे मुक्त होने की उसकी अव्यक्त किन्तु नैसर्गिक इच्छा।

जॉन ने अभी-अभी पहली बार, बिना शर्त प्रेम के कुछ क्षणों का अनुभव किया था। अनिला ने कहा : "आशा की परिणति भय में होती है, और भय जो है वह आशा का नवीकरण कर देता है। जब हम इन दो तनावों के बंदी हो जाते हैं तो, हम जीवन के इन तीन विषों के परिस्थिति-चक्र में फँस जाते हैं : इच्छा, जो लोभ और मोह का रूप ले सकती है; घृणा, जिसमें ईर्ष्या, क्रोध और अरुचि सम्मिलित होते हैं, और अज्ञान अथवा भ्रम।

कोई और बनने की आशा त्याग दो। तुम कौन और क्या हो उसे स्वीकार करो, क्योंकि हम अपने जीवन को जीना तब प्रारंभ करते हैं जब हम उसे उसके विद्यमान रूप में स्वीकार करते हैं।

भाग्य तो ताशों की वह बाजी है जो जीवन हमें देता है : हमारे माता-पिता,

हमारा मातृ देश, उसकी जलवायु, हमारी जैविक और सांस्कृतिक धरोहर, और क्यों नहीं, हमारी जन्म कुंडली भी! भाग्य की उस बाजी को हम जिस प्रकार खेलते हैं वही हमारी नियति होती है। हम भाग्य को तो नहीं बदल सकते, किन्तु हम अपने खेलने के तरीके को बदल सकते हैं। अनिला रिनचेन ने आगे कहा :

"मैं तुमसे यह नहीं कह रही कि हर किसी को प्रेम करो; बस यह प्रयास करो कि दुख में और दुख मत जोड़ो। यह दुख से मुक्ति की तुम्हारी अपनी शुरूआत होगी।"

दलाई लामा की शिक्षा है : "कर्म बोओगे तो, आदत का फल प्राप्त होगा; आदत बोओगे तो, चरित्र का फल प्राप्त होगा; चरित्र बोओगे तो, नियति का फल प्राप्त होगा।" हम संसार में ध्यान की जो गुणवत्ता लाते हैं उसी से हमारी आदतें, चरित्र और नियति की स्थापना होती है। यदि हम अपना ध्यान परिवर्तित कर दें तो, हमारी नियति बदल जाती है।

दयालु राजा-ईर्ष्यालु राजा

राजा लोग अक्सर पराक्रम, महिमा, और यश की चाहत रखते हैं.... और वे जब-तब इसके लिए युद्ध करते रहते हैं। किन्तु कभी-कभी उन्हें यह भी प्रज्ञान होता है कि स्वयं पर जो जीत प्राप्त की जाती है वही सच्ची जीत होती है। उनकी कहानियाँ बोध कथाएँ बन जाती हैं....

कौशल का राजा अपनी दानशीलता के लिए प्रसिद्ध था। निर्धनों और अकिंचनों के मित्र के रूप में उसकी ख्याति थी।

पड़ोसी राज्य काशी का राजा को उससे ईर्ष्या थी : "मेरी प्रजा उसे मुझसे महान मानती है," उसने एक दिन अपने सेना प्रमुखों से कहा। "उसने षड्यंत्र करके उनका दिल जीत लिया है। शर्म आनी चाहिए उसे! युद्ध की तैयारी करो। हमारी महिमा का निर्णय तलवार से होगा।" युद्ध अधिक दिन नहीं चला। कौशलराज की हार हुई और वह जंगल में भाग गया।

उसके पश्चात लोगों ने देखा कि जब धर्मी लोग दुख में होते हैं और न्याय का लोप हो जाता है तो संसार में कैसा अंधकार छा जाता है।

किन्तु लोगों का दुख देखकर काशीराज अत्यंत क्रोधित हुआ।

"मेरा शत्रु मेरी जीत को चुरा रहा है। वे सभी दुखी क्यों हैं? क्या मैं उनके लिए कुछ नहीं हूँ? क्या यह एक षड्यंत्र का हिस्सा नहीं है? मेरे हरकारों को भेजो। पूरे देश में घोषणा करवा दो कि जो कोई भी कौशलराज को पकड़कर मेरे पास लाएगा उसे एक सौ स्वर्ण मुद्राएँ दी जाएँगी।"

किन्तु कौशलवासियों ने हरकारों की उपेक्षा कर दी और ऐसा जताया मानो उन्होंने कुछ सुना ही नहीं।

उधर वन के एकांत में, पराजित राजा संन्यासी हो गया।

एक दिन एक यात्री ने उससे कौशल राज्य का पता पूछा।

"तुम वहाँ क्यों जाना चाहते हो?" संन्यासी राजा ने उससे पूछा।

यात्री ने उसे अपनी कहानी सुनाई : "मैं एक व्यापारी था। मेरी नौका डूब गई और मेरी पाई-पाई चली गई। मैं भिखारी हो गया। कौशलराज तो निर्धनों के मित्र हैं। मेरे दुर्भाग्य से वह अवश्य विचलित होंगे।"

संन्यासी राजा की इच्छा हुई कि वह रोए। किन्तु अपनी इच्छा को दबाते हुए वह मुस्करा दिया। उसने एक क्षण सोचा, गहरी सांस ली और व्यापारी से कहाः "तब तो तुम मेरे साथ आओ, मैं तुम्हें उसके पास ले चलूँगा जो तुम्हारी इच्छा पूरी करेगा।"

दोनों महल पहुँचे, और अंदर जाकर उन्होंने काशीराज को दंडवत प्रणाम किया। संन्यासी राजा ने कहा : "महाराज, मैं कौशल का राजा था, और फिर आपने मेरे राज्य को जीत लिया। मुझे पकड़कर लाने वाले को आपने एक सौ स्वर्ण मुद्राएँ देने का वचन दिया है। राजन, ये मुद्राएँ आप मेरे इस साथी को दे दें, और अपना वचन निभाएँ।"

दरबारियों में भारी मौन छाया रहा। यहाँ तक कि सिपाहियों को भी अपने आँसू रोकने के लिए अपनी भावनाओं पर काबू रखना पड़ा।

काशीराज ने बहुत देर तक कुछ नहीं कहा। फिर अचानक वह हँसते हुए उठ खड़ा हुआ।

"बंदी, क्या तुम सोचते हो कि तुम्हारी मृत्यु से मैं पराजित हो जाऊँगा? मैं तुम्हें ऐसी कोई आशा नहीं करने दूँगा। आज, जीत मेरी होगी। हे राजन, अपना राज्य वापस ले लो, और इसके साथ मेरा दिल भी ले लो।"

उसने संन्यासी राजा का हाथ पकड़ा, उसे राजगद्दी तक ले गया, और ताज उसके धूमिल सिर पर रख दिया।[16]

गुरु पर निशाना

एशिया में एक कहावत है : "जैसा चेला वैसा गुरु।"

महान धनुर्विद्या गुरु फेई वेई का की चांग नाम का एक शिष्य था। जब वह अपनी विद्या में लगभग पारंगत हो गया ता, उसे लगा कि विश्व में उसका बस एक ही प्रतिद्वंद्वी था, उसका अपना गुरु फेई वेई। अतः उसने अपने गुरु को मारने की योजना बनाई। एक दिन, जब फेई वेई और की चांग एक खेत में अभ्यास कर रहे थे तो की चांग ने अपने गुरु पर निशाना साधकर एक तीर छोड़ा। फेई वेई ने भी तुरंत एक तीर छोड़ा। उसका तीर शिष्य के तीर से बीच में ही जा टकराया। की चांग के पास जितने तीर थे उसने एक-एक कर चलाए और हर बार फेई वेई के तीर ने उसके शिष्य के तीर को तोड़ दिया। किन्तु की चांग के पास उसके गुरु से एक अधिक तीर था। उसने फेई वेई पर अंतिम बार एक तीर छोड़ा। इस बार गुरु ने अपना भाला फेंका जिससे शिष्य का अंतिम तीर भी बीच में ही टूट गया।

की चांग ने आदर प्रदर्शित करते हुए सिर झुका दिया। तब गुरु और शिष्य ने रोते हुए एक-दूसरे को गले लगा लिया और एक-दूसरे के समक्ष दंडवत होते हुए कहा : "हे, महान गुरु!"

"हे, महान शिष्य!"[17]

कल का भय

कोई भी व्यक्ति एक दिन के लिए किसी और का गुरु हो सकता है।

एक बड़े आधुनिक शहर के कस्बाई इलाके में रहने वाले एक व्यक्ति को हर बात की बहुत चिंता सताती थी। उसे चोरों से भय रहता था, इसलिए उसने अपने दरवाजे मजबूत करवा रखे थे। उसे आगजनी करने वालों का भी भय रहता था, इसलिए वह अँधेरा होने के बाद कभी घर से नहीं निकलता था। उसे आग का भय सताता था, इसलिए वह बहुत सतर्क रहता था और उसने अपना सुरक्षित बीमा करवा लिया था। उसे दुर्घटनाओं की भी चिंता रहती थी, और उनसे बचने के लिए वह ड्राइविंग लाइसेंस लेने से हमेशा बचता रहा। वह आतंकित रहता था कि कहीं किसी दिन उसे कोई बीमारी न हो जाए, और इसलिए वह अपने डॉक्टर से नियमित जाँच करवाता रहता था। उसे वर्षा और सूखे की चिंता रहती थी, अवैध आप्रवास और बेरोजगारी, आर्थिक संकटों, मुद्रा स्फीति, मंदी और भ्रष्टाचार की चिंता रहती थी... यह समझ लीजिए कि वह जिस विषय में भी सोचता, उसे उसकी चिंता सताने लगती थी : भूख, ठंड, गरीबी...और मृत्यु की चिंता भी, जबकि वह नियम से चर्च जाता था और ऐसा कुछ नहीं करता था जिससे परमेश्वर अप्रसन्न हो। हर बात उसके लिए चिंता का स्रोत थी। अच्छी खबर में उसे बुरी खबर दिखाई देती थी, और बुरी खबर में उसे अपने भय की पुष्टि दिखाई देती थी।

एक दिन वह चिंतित व्यक्ति गली में गिर पड़ा और उसके टखने में मोच आ गई। यह कोई गंभीर चोट नहीं थी। उसे सबसे पास के डॉक्टर के पास ले जाया गया। डॉक्टर ने उसे प्राथमिक चिकित्सा दे दी, किन्तु उसे उस व्यक्ति की चिंता वाली आम हालत भी समझ में आई। अपनी क्लिनिक के दरवाजे पर उससे हाथ मिलाते हुए डॉक्टर ने उसे एक पल को रोका और कहा : ''कल का भय मत रखो, बीते कल के बारे में भी यही सोचा गया था कि वह भी इतना ही खतरनाक होगा।''

आप दुख के परिंदों को अपने सिर के ऊपर उड़ने से नहीं रोक सकते, किन्तु आप उन्हें अपने सिर में घोंसला बनाने से तो रोक ही सकते हैं।

—*एक चीनी कहावत*

कष्ट

कठिनाइयों और पीड़ा से युक्त जीवन हमारा गुरु है...

लॉरेंस एक फलते-फूलते व्यापार का मालिक और प्रबंधक था। वह खूबसूरत, बुद्धिमान, सुसंस्कृत, साहसी और कृत्संकल्प था। लगता था उसे कोई अवरोध नहीं रोक सकता। असफलता और दुख से वह अनजान था। किन्तु वह उन लोगों को सहन नहीं कर पाता था जो किसी बात को जल्दी नहीं समझ पाते थे। वह अपने परिवार के साथ अतिशय कठोर था, और अपने से कमजोर लोगों के साथ रुखाई से पेश आता था, और अपनी जैसी अपेक्षाएँ वह औरों से भी करता था।

एक दिन उसका सुखी संसार ढह गया। अंततः उसे भय, एकाकीपन, और निर्बलता का सामना करना पड़ा...

एक बार जब वह एक दूरस्थ और अल्पविकसित देश की यात्रा पर था तो, उसका सारा सामान, पासपोर्ट, और उसका पैसा सब कुछ गायब हो गया। अचानक उसके पास कुछ भी नहीं रहा और उसकी कोई पहचान भी नहीं रही।

उसका दूतावास आठ सौ मील दूर था। बिना पैसों के वह वहाँ कैसे जा सकता था? उसने एक विशेष व्यवस्था के अंतर्गत अपने मैनेजर को फोन करने का प्रयास किया। यह अत्यंत जटिल प्रक्रिया थी और जब अंततः उसे इसमें सफलता मिली तो, उसे पता चला कि उसका खाता प्रबंधक छुट्टी पर था। कई बार के प्रयासों के बाद अंततः बैंक के एक कर्मचारी ने उसका फोन सुना, किन्तु उसने कहा कि लिखित आदेश न होने के कारण वह इस विषय में कुछ नहीं कर सकता। नियम तो नियम ही होते हैं!

लॉरेंस ने अपने परिवार और कुछ मित्रों को फोन किया। उन सब ने अगले दिन बैंक खुलने पर पैसा भेजने का वादा किया। किन्तु उस सुदूर प्रदेश में पैसा पहुँचने में कई दिन, शायद हफ्तों लग जाने वाले थे....और पहचान का कोई प्रमाण न होने की स्थिति में वह यह कैसे साबित कर सकता था कि पैसा पाने वाला वही था? वह क्या कर सकता था?

वह इस देश में किसी को नहीं जानता था और (उसकी) विदेशी भाषा बोलने वाले भी बहुत कम थे। जैसे-जैसे घंटे पर घंटा बीत रहा था, उसकी भूख, थकान,

और असहायता बढ़ती जा रही थी। समय बीत रहा था और धीरे-धीरे डर उसके मन में घर करता जा रहा था। उस रात वह सोएगा कहाँ?

वह गलियों में भटकता रहा, अकिंचन लोग उसके आगे हाथ फैला रहे थे। अपने जीवन में पहली बार, उसने बदहाली को करुणा की दृष्टि से देखा। उसकी समझ में आया कि गरीबी, अकेलापन, असुरक्षा और निराशा का मतलब क्या होता है। उसने देखा कि उसका नियंत्रण कितना भंगुर था; उसे समझ में आया कि अकेला, परित्यक्त, और असह्य होना कैसे संभव था।

इस प्रकार लॉरेंस ने वह किया जो उसने कभी कल्पना भी नहीं की थी। उसे एक मालामाल-सी से दुकान दिखाई दी, वह अंदर चला गया, और वहाँ के शीर्षस्थ व्यक्ति से मिलने की इच्छा जताई। दुकान का मालिक इस विदेशी पर्यटक से अच्छा व्यापार करने की आशा में वहाँ मुस्कराता हुआ आया। लॉरेंस ने उसे अपनी कहानी सुनाई, अपनी स्थिति बताई कि कैसे उसके पास कुछ भी नहीं था, एक पासपोर्ट भी नहीं, और कोई जगह भी नहीं जहाँ वह जाता...उसने इस व्यक्ति से मदद की गुहार की। वह जमानत के तौर पर अपनी विवाह की अँगूठी भी, और वह घड़ी भी देने को तैयार था जो बहुत कीमती नहीं थी, और वह सूट भी जो वह पहने हुए था।

दुकान के मालिक ने उसे वहीं टोक दिया, वह और कुछ नहीं जानना चाहता था। वह उसे अपने घर ले गया और वहाँ एक मित्र और भाई के समान उसका स्वागत-सत्कार किया। उसने उसे खाना दिया, ठहरने का ठिकाना, पैसा और संरक्षण दिया, और अपनी तरफ से उसे खूब तसल्ली दी। और इस प्रकार, असहायता और पीड़ा का अनुभव कर चुके लॉरेंस ने यह समझा कि किस प्रकार करुणा और उपकार मिलकर विषम परिस्थिति को मात दे सकते हैं। उसके बाद, वह और भी नरम और उदार व्यक्ति बन गया।

कोई भी पीड़ादायक अनुभव कोई न कोई सूत्रपात करने वाला होता है, यहाँ तक कि एक जली उंगली भी। यह हमारे व्यक्तित्व को यदि नष्ट नहीं करता तो, उसे झकझोरता तो है ही। यह हमारी वास्तविकता को, हमारी आदतों के वशीकरण को, और हमारे विश्वासों के भरोसे को चूर कर देता है। जब हम यह मान लेते हैं कि हम सुरक्षित हैं और तमाम विषमताओं से परे हैं तब, यह हमें यह देखने को बाध्य कर देता है कि छोटी से छोटी घटनाएँ भी अचानक हमें नीचे ला देती हैं। अपनी ही परीक्षाओं-आज़माइशों के माध्यम से हम उस पीड़ा को समझते हैं जिसका अनुभव करते हैं। हम उनकी भंगुरता को समझते हैं, और कैसे हम उनके साथ अपने संबंधों में अधिक सज्जन, समझदार और उदार हो सकते हैं।

मदर टेरेसा

नैतिक, धार्मिक, दार्शनिक या आध्यात्मिक वचन तभी विश्वसनीय हो सकते हैं जब उन्हें बोलने वालों की कथनी और करनी में अंतर न हो।

मदर टेरेसा फर्श धो रही थीं, वह एक पोंछा लिए घुटनों के बल झुकी हुई थीं। वह बड़े तरीके से काम कर रही थीं, उन्हें कोई हड़बड़ी नहीं थीं, उनका सारा ध्यान उनके इस काम पर केंद्रित था। जिस महिला के काम ने दुनिया भर में एक सौ साठ से अधिक दान केंद्र स्थापित कर दिए थे वह अभी भी छोटे-छोटे कामों को पूरा करने में प्रेरणा प्राप्त करती थी, और उन कामों में भी जिनमें उनकी तमाम सौम्यता और बुद्धिमानी की दरकार होती थी।

वह बहुत छोटी और पतली-दुबली थीं और नीली पट्टियों वाली अपनी सफेद साड़ी में वह खो-गई सी लगती थीं। उनके झुर्रीदार चेहरे पर पतले-पतले होठों पर एक पतली(धीमी)-सी मुस्कान होती थीं। दयालुता से भरी उनकी छोटी-छोटी-सी आँखों में एक गंभीर, लगभग हठात सौजन्य और एक शांत आनंद की अभिव्यक्ति होती थी।

वह कहा करती थीं कि मैं एक व्यक्ति पर ध्यान देती हूँ। यदि मुझे जन साधारण की देखरेख करनी होती तो मैं कभी शुरुआत ही नहीं कर सकती थी। मदर टेरेसा उनकी सहायता करती थीं जिन्हें उसकी दरकार होती थी। वह उनकी भी सहायता करती थीं जिन्हें सहायता करने की दरकार होती थी। वह उन्हें अपने साथ आने को आमंत्रित करती थीं। वह शिक्षा नहीं देती थीं, वह उदाहरण प्रस्तुत करती थीं। वह कहती थीं कि प्रेम करना ही प्रेम करना है। उनके कार्यों में उनका प्रेम परिलक्षित होता था और उसे समझने और उसे गहन करने के प्रयास में हम उनका अनुकरण करते थे। कुछ भी अनिवार्य नहीं था, सब कुछ एक अर्पण था।

दान का वास्तविक अभ्यास वह है जो उसे जीवंत करता है। मदर टेरेसा ने मनुष्य के प्रति अपने प्रेम के माध्यम से दान को जीवंत किया है। परमेश्वर हमारे माध्यम से संसार को प्रेम करते हैं, वह अक्सर कहा करती थीं। परमेश्वर वह पीड़ित साथी मनुष्य है जिसे हम पीड़ामुक्त कर सकते हैं। जो कुछ तुमने मेरे इन छोटे से छोटे भाइयों में से किसी एक के साथ किया, वह मेरे साथ किया।

इस प्रकार उनके माध्यम से यह संसार और भी मित्रवत स्थान हो गया।[18]

कोआन

यह महत्त्वपूर्ण है कि अव्यक्त को बूझने के लिए हमेशा ही चीजों का अर्थ समझने और उसे पूर्णरूपेण व्यक्त करने का प्रयास न किया जाए। कोआन इसके अच्छे उदाहरण हैं। "आप दो हाथों से बजने वाली ताली की ध्वनि को पहचानते हैं। एक हाथ से बजने वाली ताली की ध्वनि कैसी होती है?"

बौद्ध धर्म के अनुसार, मनुष्य वास्तविकता की संपूर्णता और समग्रता में स्वयं वास्तविकता होता है। तो फिर व्यक्ति मात्र इसके अंश के रूप में कैसे विद्यमान रह सकता है? इस स्थिति की विसंगति इस या उस रूप में कोआनों में परिलक्षित होती है।

कोआन एक प्रकार का प्रश्न पूछना होता है जो मस्तिष्क को खोल देता है, और पूछताछ या संदेह करके एक केंद्र या संगति की आवश्यकता से परे जाने का अवसर प्रदान करता है। इनमें ऊहापोह का बोध होता है। इस प्रकार, कोआन एक गुरु होता है। व्यक्ति अपने संपूर्ण जीवन में एक कोआन पर ध्यान करता रह सकता है।

कोआन एक ग्रंथि है, और उसे जोड़ने के लिए हमें निर्मम होकर उस पर प्रश्न करते रहना होता है। कोआन पर कार्य करना काई बौद्धिक प्रयास नहीं है। यह न तो सत्य की निर्मिति है और न ही कोई शिक्षा। इसमें हमारे संपूर्ण अस्तित्व की लिप्तता आवश्यक होती है। अतः कोआन पर कार्य करने का अर्थ है स्वयं पर कार्य करना, और स्वयं को इसमें तब तक लिप्त रखना कि यह स्वयं का हिस्सा बन जाए, हमारी स्थिति को पूर्णता से परिलक्षित करे। "मन को कुछ न दिखाते हुए उसे जाग्रत करे।" तभी तो कोआन को खोलने के उपक्रम में आप एक प्रारंभिक जागरण की स्थिति में आ जाते हैं, जैसे एक घुप्प अंधेरे कक्ष में एक चिंगारी। यह आपको एकत्व के प्रति, शून्यता के प्रति, असीम रिक्तता के प्रति जाग्रत करता है...[19]

"खाली हाथ में एक फावड़ा लिए होता हूँ। टहलते समय मैं भैंस पर सवार होता हूँ। मैं पुल को पार करता हूँ और वहाँ जल प्रवाह नहीं होता, पुल डूब रहा होता है। फ्यूजी पर्वत के शिखर पर एक मेघ चावल पकाता है।" गुरु ह्याकुजो के दो शिष्य ईसान और करीन, दोनों ही चाहते थे कि एक झील के दक्षिण में

स्थित एक मनोरम स्थान में एक मंदिर के निर्माण हेतु उन्हें ही वहाँ भेजा जाए। गुरु उन दोनों में से किसे चुनेंगे?

करीन ने गुरु से कहा, "आपको जेन के नियमों के अनुसार ही चयन करना चाहिए। आपको कोआन के माध्यम से हमारी परीक्षा लेनी चाहिए। जो इसे पहले हल करे उसे ही चुना जाए।" गुरु ह्याकुजो ने अपने शिष्यों के समक्ष एक जोबिन (भिक्खुओं की पानी की बोतल) रखकर कहा : "मेरे प्रिय शिष्यों, तुम्हें इस बोतल को जोबिन नहीं कहना है। इसे तुम और क्या कहोगे? इसे और किस प्रकार बताया ाता है?"

(प्रिय पाठक, कहानी का अंत पढ़ने से पहले अपना उत्तर बताने का प्रयास करें।)

गुरु, ह्याकुजो के प्रथम शिष्य करीन ने उत्तर दिया : "गुरु जी, मैं इसे काठ की पादुका कह सकता हूँ।" ईसान उठा, और जोबिन लेकर उसने उसमें भरे पदार्थ को मुस्कराते हुए उंडेल दिया।

गुरु ह्याकुजो भी मुस्करा दिए।[20]

घातक ब्लेड और जीवनदायी तलवार

"पीछे देखो, तैयार रहो : यदि हम मिलते हैं तो, तुरंत मार दो! यदि तुम्हें बुद्ध मिलते हैं तो, बुद्ध को मार दो। यदि तुम्हें तुम्हारे पूर्वज मिलते हैं तो, अपने पूर्वज को मार दो! यदि तुम्हें बुद्ध का कोई शिष्य मिलता है तो, बुद्ध के शिष्य को मार दो। यदि तुम्हें तुम्हारे माता-पिता मिलते हैं तो, माता-पिता को मार दो! यदि तुम्हें तुम्हारे अभिभावक मिलते हैं तो अपने अभिभावकों को मार दो! तब जाकर तुम्हें मुक्ति मिलेगी। तब जाकर तुम अस्तित्व की बेड़ियों से बच पाओगे, और तब जाकर तुम मुक्त हो पाओगे...."

तांग वंश के काल में, नानसेन नाम का एक पुरोहित चुआन पर्वत पर रहता था।

एक दिन नानसेन ने पूर्वी और पश्चिमी कक्षों के भिक्खुओं को मंदिर में घुस आई एक बिल्ली को लेकर झगड़ते देखा। दोनों ही गुट इसे अपने पास रखकर लाड़ करना चाहते थे।

नानसेन ने बिल्ली को पकड़ लिया और कहा : "यदि तुम एक उत्तर दे सको तो, तुम बिल्ली को बचा सकते हो। यदि नहीं तो, मैं इसे मार दूँगा।"

कोई उत्तर नहीं दे सका और नानसेन ने बिल्ली के दो टुकड़े कर दिए।

उस संध्या, नानसेन का प्रथम शिष्य जोशू विहार में लौटा। नानसेन ने उसे उस घटना के विषय में बताया और उसकी राय पूछी।

जोशू ने अपनी पादुका उतारी, अपने सिर पर रखी और निकल गया।

"यदि तुम आज यहाँ होते तो, तुमने बिल्ली को बचा लिया होता", नानसेन ने कहा।

कहते हैं, "जेन बाह्य रूप को मिटाकर परम वास्तविकता को प्रकट करता है; और वास्तविक दर्शन की शक्ति इस ज्ञान में निहित होती है कि हमारे मन का कोई रूप या बाह्याकार नहीं होता।"

प्यारी बिल्ली शायद सौंदर्य, अथवा स्नेह अथवा आसक्ति का, अथवा अहं का प्रतीक है जिसे काट ही देना चाहिए.... दूसरे शब्दों में यह बाह्याकारों अथवा मानसिक निर्मितियों का प्रतीक है। गुरु नानसेन तीक्ष्ण ज्ञान का प्रतीक है, और जोश का चरित्र निश्चय ही उस बोध की अभिव्यक्ति है जो शिक्षा और ज्ञान से भी आगे जाता है।

भिक्खुओं ने क्या उत्तर दिया होता? उन्होंने तीन बातें कहीं होतीं जो सच है। पहली : "हम सभी मूर्ख हैं।" दूसरी : "बिल्ली मार दी जाएगी", इसे बचा लेते। तीसरी : "बिल्ली को दूसरे कक्ष में ले जाया जाए।" दोगेन ज़ेंजी के अनुसार वे कह सकते थे : "गुरु जी बिल्ली के दो टुकड़े करना जानते हैं, किंतु क्या वह जानते हैं कि इसका एक टुकड़ा कैसे किया जाए?" अपनी पादुका को अपने सिर पर रखकर जोशू ने इससे अधिक कहा, उसने मन की अरूपता और किसी भी स्थिति की विसंगति को दिखाया।[21]

लक्ष्य

शिष्य वह होता है जो किसी अनुशासन पर चलता है। अन्य कोई उसके लिए यह नहीं कर सकता....

की-चांग धनुर्विद्या के महान गुरु फे वे का शिष्य बनना चाहता था। उसने उनसे निर्देश माँगे। गुरु ने कहा : "पहले पलक न झपकाना सीखो। फिर मैं तुम्हें धनुर्विद्या सिखाऊँगा।"

की-चांग घर लौट आया और उसने अपनी पत्नी के करघे के नीचे पीठ के बल लेटकर अभ्यास किया। उसने आड़े-सीधे धागों पर आगे-पीछे दौड़ती ढरकी पर आँखें गड़ाई। उसकी आँखें इतनी स्थिर हो गईं कि कोई बिंदु उन्हें स्पर्श कर दे तो उसकी पलकें झपकती नहीं थी।

दो वर्ष बीत जाने पर वह फे वे के पास लौटा और उन्हें बताया कि वह उनकी शिक्षा प्राप्त करने को तैयार था। गुरु ने कहा, "अभी नहीं। अब तुम्हें एक बिंदु पर ध्यान केंद्रित करना सीखना होगा। जब तुम, अपनी इच्छाशक्ति के बल पर इसे इतना बड़ा देख सकोगे कि उसे चूकोगे नहीं, तब मेरे पास वापस आना और मैं तुम्हें धनुर्विद्या सिखाऊँगा।"

की-चांग ने अपनी खिड़की पर घोड़े का एक लंबा बाल लटका दिया और उस पर चढ़ने के लिए एक जूँ वहाँ रख दी। वह तेज धूप होने पर भी उस पर टकटकी लगाकर देखता, भले ही उसकी आँखों में चुभन होती। जूँ उसे बड़ी, और भी बड़ी दिखने लगी। इस प्रकार तीन महीनों के अभ्यास के उपरांत, इच्छाशक्ति के बल पर, जूँ उसे पहाड़-सी बड़ी दिखने लगी, और अब तो वह उसका दिल भी देख सकता था। अब वह निश्चित रूप में किसी भी लक्ष्य के केंद्र पर निशाना लगा सकता था।

वह वापस फे वे के पास गया और बोला कि वह उनकी शिक्षा प्राप्त करने के लिए तैयार है।

गुरु ने कहा, "यह हुई न बात। धनुर्विद्या के अभ्यास में, लक्ष्य का कोई महत्व नहीं होता। यदि कोई ध्येय हुआ तो वह चूक जाता है। महत्त्व होता है तो बस तुम्हारी चेष्टाओं की गुणवत्ता का। और वह तुम्हें कोई नहीं सिखा सकता। जाओ, मुझे तुम्हें अब कुछ नहीं सिखाना।" [22]

हबीब आजमी

जब कोई शिष्य अपने गुरु की शिक्षाओं का उससे भी अच्छे ढंग से अनुसरण करता है तो, वह गुरु से भी आगे निकल जाता है...जब गुरु को उसकी ही शिक्षाओं का स्मरण कराया जाता है तो, कौन गुरु हुआ, कौन शिष्य, और कौन बुद्धिमान हुआ?

शेख फरुद का एक शिष्य था जो हर जगह उनके पीछे-पीछे जाता, उनके बोले एक-एक शब्द को बड़े ध्यान से सुनता, और हर तरह से उनकी नकल करता था। एक दिन शेख ने यह सोचा कि शिष्य को यह समझाना चाहिए कि गुरु भी औरों की तरह एक आदमी ही होता है जिसकी अपनी कमजोरियाँ होती हैं। इस उद्देश्य से, शेख ने शिष्य को यह कहानी सुनाई :

"महान सूफी गुरु, हसन बसरी, एक यात्रा पर गए। वह अभी नदी किनारे पहुँचकर यह सोच ही रहे थे कि इसे कैसे पार किया जाए कि, उनका पुराना शिष्य हबीब आजमी भी वहाँ आ पहुँचा।

हबीब ने कहा, "हे मुस्लिमों के इमाम, यहाँ आप किसका इंतजार कर रहे हैं?"

"मैं यहाँ बेसब्री से नाव और खिवैये का इंतजार कर रहा हूँ कि वे मुझे नदी पार करा दें।"

"हे गुरु!' हबीब ने कहा, "मैं कई बरसों तक आपका विद्यार्थी और शिष्य रहा। आपने मुझे विज्ञान और धर्म की शिक्षा दी। आपने मुझे उच्छृंखल विचारों को, वासना और लोभ को, और सांसारिक प्रेम को मन से निकाल बाहर करने की शिक्षा दी। आपने मुझे सिखाया कि यदि कठिन परीक्षाएँ आती हैं तो उन्हें सौभाग्य समझो। और अंत में, चाहे जो भी हो जाए, यह स्मरण रखो कि सर्वशक्तिमान परमेश्वर उसे तुम्हारे लिए भेजता है। तो फिर, पानी पर पाँव रखें और उस पार पहुँच जायें।"

और यह कहते ही उसने नदी में पाँव रखा और....तैरते हुए...उस पार पहुँच गया।

शेख फरूद ने आगे कहा कि "मैं तुमसे, अंध भक्ति की नहीं किंतु तीक्ष्ण विवेक की अपेक्षा करता हूँ, क्योंकि तुम भी तो मुझे कुछ सिखाओगे।"[23]

पंडित

"शब्द तो मात्र प्रतीक होते हैं जिनके माध्यम से सत्य की अभिव्यक्ति की जाती है। किन्तु शब्दों को भ्रमवश सत्य मान लेना वैसे ही भ्रामक है जैसे चंद्रमा की ओर इंगित उंगली को ही चंद्रमा मान लेना।"[24]

एक दिन एक पंडित राजा से मिलने उसके महल में गया और बोला : "स्वामी, मुझे शास्त्रों का खूब ज्ञान है। मैं आपको देवों के वचन और ऋषियों का ज्ञान देना चाहता हूँ।"

राजा जानता था कि जिस व्यक्ति ने वास्तव में शास्त्रों को पढ़ा और सिद्ध किया हो वह दरबार के धन और सम्मान की नहीं एकांत और चिंतन की अभिलाषा करेगा। उसने पंडित को उत्तर दियाः

"मैं देख रहा हूँ कि आपने अभी धर्म और दर्शन के अर्थ को ठीक से समझा नहीं है। मैं आपको आचार्य मानने का वचन देता हूँ, किन्तु अभी आप देवों की वाणी और साधुओं के रहस्यों का अध्ययन करते रहें।'

पंडित अत्यधिक निराशा की स्थिति में घर लौट गया। कोई यह कैसे कह सकता था कि उसने अभी समझा नहीं है जबकि उसे समस्त शास्त्र और जटिल से जटिल कर्म-कांड भी कंठस्थ थे! फिर भी, उसने अपना अध्ययन फिर शुरू किया और कुछ वर्ष उपरांत वापस महल पहुँचा। इस बार भी राजा ने उससे वही कहा जो पहली बार कहा था, और उसे फिर लौटा दिया। अत्यंत निराश, पंडित घर लौट आया और शास्त्रों के अध्ययन में जुट गया। धीरे-धीरे, लिखित शब्दों के गूढ़ अर्थ उसके मन में स्पष्ट हो गए। उसने संसार और सुखों का त्याग कर दिया, और स्वयं पूर्णता प्राप्त करने के प्रयास में लीन हो गया। उसे राजसी दरबारों की व्यर्थता, धन की तुच्छता, और सम्मानों की निरर्थकता समझ में आ गई, और उसने राजा के विषय में सोचना बंद कर दिया।

कुछ वर्ष व्यतीत होने पर, राजा को पंडित का स्मरण हो आया और वह उससे भेंट करने जा पहुँचा। पंडित उसे नगर के छोर पर एक एकांत कुटिया में और अतिशय निर्धनता की स्थिति में मिला। उसे प्रेम, शांति और आनंद की दिव्य आभाओं से प्रदीप्त देख, राजा उसके समक्ष घुटनों के बल बैठ गया और बोला :

"मैं देख रहा हूँ कि आपने शास्त्रों को वास्तव में समझ लिया है। यदि आप मुझे अपना शिष्य स्वीकार करना चाहें तो, मैं तैयार हूँ।"[25]

प्याला

कभी-कभी शिष्य को पता ही नहीं होता कि उसका प्रशिक्षण पूरा हो चुका है। वह यह नहीं समझ पाता कि उसने अपने गुरु की बराबरी कर ली है। तब अपनी दीक्षा के अंतिम चरण को पूरा करना होता है : अर्थात् गुरु को छोड़कर स्वयं गुरु बनना होता है।

शांता पुरी योगी और उनका शिष्य आनंद कई वर्षों तक वन में साथ-साथ रहे। आनंद अपने गुरु का भक्त था और उनकी शिक्षाओं पर ध्यान लगाता था। वह कभी-कभी सोचा करता, "मुझे प्रज्ञा कब प्राप्त होगी?"

एक दिन, योगी ने उसे भेज देने का निर्णय किया :

"मैं जितना जानता था वह सब मैंने तुम्हें सिखा दिया है। मेरे पास तुम्हें सिखाने को अब और कुछ नहीं है। अब जाओ।"

"गुरु जी, मैं जाऊँ कहाँ? मुझे अब भी इतना ज्ञान नहीं है। मुझे अपने पास ही रहने दें," आनंद ने विनती की।

"इस राज्य के स्वामी के पास जाओ। वह एक श्रेष्ठ दीक्षित हैं और उनका राज्य विख्यात है। अब तो बस वही तुम्हारा मार्गदर्शन कर सकते हैं।"

अपने गुरु का आज्ञाकारी, वह शिष्य वन को पार करता हुआ गाँव-गाँव होकर निकला और एक दिन वह नगर और फिर राजमहल पहुँचा।

उस दिन, रानी के सम्मान में एक बड़ा भोज दिया गया था। शिष्य को महल के भव्य स्वागत कक्ष में ले जाया गया। वहाँ राज्य के समस्त गण्य मान्य जन और सैकड़ों अतिथि एकत्र हुए थे और सिंहासन पर बैठे राजा-रानी के समक्ष पी रहे थे, खा रहे थे, हँस रहे थे, नाच रहे थे। आनंद भीड़ में से रास्ता बनाता राजा के पास पहुँचा, और फिर अपने इस नए गुरु के चरणों में आदरपूर्वक तीन बार नत मस्तक हुआ, और राजा से बोला : "राजन, मैं चौदह वर्ष शांतापुरी योगी का शिष्य रहा। मेरे गुरु ने मुझसे कहा कि अब उनके पास मुझे सिखाने को और कुछ नहीं है, और मुझे आपके पास भेज दिया। उन्होंने कहा है कि बस आप ही मुझे आगे और आगे से भी आगे ले जा सकते हैं।"

राजा मुस्करा दिए, और फिर प्रज्ञा और प्रेम मिश्रित सरलता के साथ, उन्होंने किनारे तक लबालब भरा एक प्याला उसे दिया : "यह लो, इसे कक्ष में ले जाओ

और एक भी बूँद छलकाए बिना वाप़स मेरे पास लेकर आओ।"

पीते हुए और उत्तेजित लोगों की भीड़ के कोलाहल और हलचल के बीच, इस कक्ष का चक्कर लगाना, वह किसी से टकराए बिना कैसे रह सकता था? इस हो-हल्ले के बीच वह आवश्यक स्थिरता कैसे बनाए रख सकता था। यह परीक्षा असंभव लगती थी। किन्तु आनंद ने सीखा था कि गुरु जो भी आदेश दें उनका पालन करो; वह अपने भय से निकलने और असम्भव को सम्भव करने में सफल रहा।

उसने राजा के हाथ से प्याला ले लिया और अतिथियों के जमावड़े से होता हुआ सधे पाँव आगे बढ़ा, उसने अपना ध्यान केंद्रित कर रखा था, और अपने पिछले गुरु की शिक्षानुसार वह पूरी तरह से सतर्क था और प्याले, उसमें रखे तरल और स्वागत कक्षा के साथ उसने एकात्मता बनाई हुई थी।

एक घंटे पश्चात वह वापस राजा के चरणों में था। उसने वह भरा प्याला राजा को पकड़ा दिया। उसकी एक बूंद भी छलकी नहीं थी। विस्मित राजा ने प्याले को ले लिया, उसमें भरा मधुर तरल पी लिया, और अपने शिष्य को धन्यवाद के साथ कहा : "मेरे पास भी तुम्हें सिखाने को कुछ नहीं है।"[26]

अमरता के रहस्य का ज्ञाता

कुछ हैं जो जानते हैं किन्तु कर नहीं सकते। दूसरे हैं जो जानते नहीं हैं किंतु यदि वे जानते तो कर सकते थे...

विगत काल में एक व्यक्ति था जो अमरता के रहस्य का ज्ञाता होने का दावा करता था। येन के राजकुमार ने उसके विषय में सुना तो, अपने एक मंत्री को उसे लिवा लाने को भेज दिया। किंतु अमरता के रहस्य के ज्ञाता इस व्यक्ति को ढूँढ़ने में मंत्री को इतना अधिक समय लग गया कि उसके पहुँचने से पूर्व ही उसका देहांत हो गया।

चीन्त्जू भी अमरता का रहस्य जानना चाहता था। जब उसे पता चला कि उस ज्ञाता का निधन हो गया है तो, वह अत्यन्त दुखी हो गया।

गुरु फून्त्जू ने इस विषय में सुना तो, वह हँस दिए : उन्होंने कहा : "इस आदमी की इह लीला तो स्वयं समाप्त हो गई। वह तुम्हें मृत्यु से कैसे बचा सकता था?"

यह सुनकर, हाऊ-त्जू ने कहा :

"फू-त्जू के शब्दों में कोई दम नहीं है।" और उसने यह कहानी सुनाई :

"वे प्रांत का एक व्यक्ति असाधारण गणक बन गया। वह अत्यंत वृद्ध था। मृत्यु से पूर्व, वह अपना ज्ञान अपने पुत्र को दे गया। पुत्र को अपने पिता के शब्द तो खूब याद रहे किन्तु वह गणनाएँ नहीं कर पाता था। एक दिन एक व्यक्ति ने पुत्र से उसके पिता के उस ज्ञान को दोहराने को कहा। इसका परिणाम यह हुआ कि वह व्यक्ति उस वृद्ध के समान ही एक उत्कृष्ट गणक बन गया।"

हाऊ-त्जू ने कहा : "कुछ व्यक्तियों के पास तरीका होता है किंतु वे उसे व्यवहार में नहीं प्रयोग कर सकते। वहीं कुछ व्यक्तियों में उन्हें व्यवहार में लाने की योग्यता होती है, बस तरीका पता नहीं होता।"[27]

तीन

धर्म और लोग

हम अपने धर्म को लेकर इतने रूढ़ क्यों हो जाते हैं? वे लोग जिन्होंने हमें हमारा धर्म दिया, क्या वे ईश्वर को जानते थे, अथवा वे, हमारे समान ही, अपनी पारिवारिक परंपराओं से मोहित थे? क्या हमारे पूर्वजों को कभी युद्ध, पीड़ा, और दुर्भाग्य नहीं झेलने पड़े? क्या वे बैबिलोनवासियों के पूर्वजों, प्राचीन यूनानियों, फिरौनी मिस्र के लोगों, इंका सभ्यता के फलकों, यानोमामियों, आदिवासियों, मूल अमेरिकियों की अपेक्षा ईश्वर के अथवा सत्य के अधिक निकट थे? क्या उन्हें उनकी प्रार्थनाओं के बेहतर उत्तर मिलते थे?

हजारों वर्षों से मनुष्य स्वयं से जीवन के विषय में, और उसके आगे-पीछे क्या है इस विषय में वही प्रश्न पूछते आए हैं। आध्यात्मिक और तात्त्विक उत्तर ही धर्म की निर्मिति करते हैं। वे हमें उपलब्ध हैं। हम उनका प्रयोग कर सकते हैं। उनके विषय में जानना निश्चित रूप में एक अच्छी बात है, क्योंकि अन्य परंपराओं से जो विचार और पद्धतियाँ हम सीख सकते हैं वे हमारी अपनी वंशगत परंपराओं को समृद्ध और स्पष्ट करती हैं।

सब कुछ ईश्वर है! ईश्वर कुछ नहीं है! ईश्वर न तो संसार में है, न वह संसार से बाहर है! क्या ये विरोधी वक्तव्य किसी न किसी सत्य को प्रकट करते हैं? सूफी कवि जामी ने कहा है कि "रूप की दृष्टि से, सब कुछ ईश्वर के अतिरिक्त है; सत्य की दृष्टि से, सब कुछ वही है।"

श्री निसर्गदत्त महाराज के शब्दों में: "मैं कुछ नहीं हूँ, यह जानना प्रज्ञा है। मैं सब कुछ हूँ यह जानना प्रेम है। प्रज्ञा और प्रेम के बीच, मेरा जीवन है।"

धर्मों के विषय में प्रज्ञावान क्या कहते हैं? क्या वे हमें शांति की ओर ले जाते हैं? क्या वे हमें बोधमय करते हैं? क्या वे हमें प्रेम की ओर उन्मुख करते हैं? क्या वे हमें सत्य के विषय में बताते हैं?

आस्था और कर्तव्य

एक दिन, आस्था और कर्तव्य की भेंट हुई।

आस्था ने पूछा, "तुम जो करते हो, क्या उसमें विश्वास करते हो?"

कर्तव्य ने पलटकर कहा, "क्या तुम जिसमें विश्वास करते हो, उसके अनुसार कार्य करते हो?"

कर्म के अभाव में आस्था तो कल्पना का अंश मात्र है, और तार्किक समझ के अभाव में कर्तव्य मात्र विलगाव है। उन दोनों में हुई बहस की व्यर्थता से यह औचित्य निकला कि किसी भी बात में विश्वास मत करो और कुछ भी मत करो, बस एक मात्र लक्ष्य के रूप में बोध का अन्वेषण करो।

आस्था और अंधविश्वास के बीच, धर्म और अनास्था के बीच जो विद्यमान है, वह मात्र शून्यता नहीं है। संदेह उत्पादक हो सकता है और किंचित आस्था भी। हमारी मेधा के मार्गदर्शन हेतु ज्ञान विद्यमान है; जबकि गुरुजन हमें समझाते, प्रदर्शित करते, और प्रेरणा देते हैं।[28]

वन में भटका

एक बार की बात है, एक शिकारी जंगल में भटक गया। तीन दिनों तक, वह अकेला भटकता रहा, उसे रास्ता नहीं मिला, और कोई प्राणी भी नहीं मिला कि उससे पूछ ले। वह भूखा था और जानवरों और साँपों के भय से एक आँख खोलकर सोता था।

वह भयभीत हो ही रहा था कि, चौथे दिन की सुबह उसने एक आदमी को अपनी ही तरह एक पेड़ के नीचे बैठा देखा। वह दौड़कर उस आदमी के पास गया और उसे गले से लगा लिया। वे दोनों ही अतिशय आनंदित हुए।

''मैं भटक गया था'', पहले ने दूसरे से कहा।

''मैं भी'', दूसरे ने कहा।

उन दोनों को ही पता चला कि वे भटक गए थे। किन्तु अब उन्होंने जाना कि वे एक साथ खोए थे।

आस्था अक्सर ऐसे भटके लोगों को एकजुट कर देती है जो यह विश्वास करना चाहते हैं कि वे तो कम भटके हैं जबकि ऐसे अनेक हैं जो एक साथ भटके हैं। वे सोचते हैं कि यदि ऐसे अनेक लोग हैं जो किसी बात में विश्वास करते हैं तो, वह बात सत्य ही होगी। जैसे दो पागल व्यक्ति एक प्रज्ञावान के बराबर नहीं होते, दो त्रुटियाँ मिलकर एक सत्य नहीं बन जातीं, और एक हजार विश्वासी मिलकर प्रामाणिक ज्ञान नहीं हो जाते।[29]

आस्था तो साधन मात्र है एक साध्य का; यह मार्ग है किन्तु स्वयं में कोई लक्ष्य अथवा ध्येय नहीं है।

विश्वास करने का अर्थ कभी-कभी यह होता है कि आप निश्चित हैं और कभी-कभी यह कि आप पूर्णतः निश्चित नहीं है किंतु ऐसी आपकी इच्छा है। जब कोई यह कहता है कि ''मैं विश्वास करता हूँ'' तो यह पुष्टि होती हैं जिसमें निश्चितता और संदेह की संदिग्धता होती है। वहाँ दृढ़ विश्वास और जुड़ाव होता है किन्तु ज्ञान और अनुभव नहीं।

आस्था किसी दृष्टिकोण में एक भावनात्मक और अतार्किक पूर्वग्रह का पुट डाल देती है और उसे एक ऐसा रूप दे देती है जो साक्ष्य से नहीं अपितु इच्छा

अथवा आशा से प्रमाणित होता है। विभिन्न मत हमारी निश्चयात्मक पुष्टि, इस अभिज्ञान को अस्वीकार करते हैं कि विश्वास का सत्य से कोई सम्बन्ध नहीं होता, कि विश्वास तो एक प्रयास होता है अज्ञान के शून्य को ज्ञान के अतिरिक्त किसी और चीज से भरने का।

बलि

बुद्ध ने कहा था : "अपने अवलंब और अपना आश्रय स्वयं बनो। किसी अन्य में आश्रय मत ढूँढ़ो। किसी बात पर मात्र इसलिए विश्वास मत करो कि शास्त्रों में ऐसा लिखा है। बिना जाँचे-परखे कुछ स्वीकार मत करो। मुक्ति का प्रयास तुम्हारा अपना दायित्व है।"[30]

एक तपस्वी वन के बीच सामान्य जीवन की आपाधापी से दूर रह रहा था। उसे विश्वास था कि एकान्त और त्याग की अवस्था में उसे बोधि की प्राप्ति हो जाएगी। उसने अग्नि को अपना देव चुना था और वह अनवरत उसकी पूजा करता था। इस प्रकार वह अनेक वर्षों तक अग्नि जलाए रखकर उसकी स्तुति करता रहा। किन्तु एक दिन, उसने देखा कि संन्यास में प्रविष्ट होने के समय से उसमें कोई परिवर्तन नहीं आया था, ईश्वर से उसकी कोई निकटता नहीं बढ़ी थी और न ही वह अधिक प्रबुद्ध हुआ था।

उसने सर्वस्व बलि चढ़ा देने की ठानी और आशा की कि अंततः उसका ईश्वर प्रकट हो जाएगा और उसके समक्ष शाश्वत रहस्यों को खोल देगा। उसके पास बस एक भैंस थी, उसने उसी को बलि चढ़ाने का संकल्प किया।

उसने शुद्धि-स्नान किया और प्राचीन विधान के अनुसार ही लट्ठों और शाखाओं की एक वेदी तैयार की। किन्तु उसके पास पवित्र घास नहीं थी, अतः उसने भैंस को बाँध दिया और घास की तलाश में पर्वत पर चला गया।

कुछ शिकारियों ने भैंस को देखा तो, अपने साथ ले गए। लौटने पर उसे अपनी भैंस नहीं मिली, शिकारियों के पाँवों के निशान दिखाई दिए वह समझ गयाः

"हे अग्नि देव, मैं अपना समय गंवा रहा था। मैं तुम्हारी शक्ति की पूजा कैसे करता रह सकता हूँ, जबकि तुम उसकी भी रक्षा नहीं कर सकते जो तुम्हारी है?"

वह पूजा, कर्मकांड, आहुतियों को त्याग ज्ञान की खोज में लग गया।

मौन से प्रश्न करने का प्रयास मत करो क्योंकि मौन बोल नहीं सकता; देवों की प्रार्थना से कुछ अपेक्षा मत करो; उन्हें आहुतियों की घूस मत दो; अपनी मुक्ति की खोज स्वयं में करो—बुद्ध।[31]

हाथी

प्रताप की ईश्वर में अत्यंत गहन और प्रगाढ़ आस्था थी। वह कहता था कि वह प्रत्येक व्यक्ति, प्रत्येक वस्तु, प्रत्येक स्थान में ईश्वर को देखता है...

एक दिन जब वह मंदिर जा रहा था तो, एक आदमी उसकी तरफ दौड़ता हुआ और यह चिल्लाता हुआ आया :

"सावधान! एक पागल हाथी दौड़ता हुआ इस ओर आ रहा है। वह हर चीज को कुचल रहा है। यहाँ से हट जाओ!"

दूसरे राहगीर वहाँ से सिर पर पाँव रखकर भाग लिए, किन्तु प्रताप ने सोचा की यह हाथी ईश्वर का रूप है। तो फिर वह ईश्वर से क्यों भागे? और वह सड़क के बीच खड़ा हो गया और दंडवत उसकी प्रतीक्षा करने लगा।

उस आदमी यानी महावत ने उसे एक बार और चेताया : "भागो! कहीं छिप जाओ!"

किन्तु प्रताप टस से मस नहीं हुआ।

हाथी शीघ्र ही भारी-भारी पांव रखता, धरती और वृक्षों को कंपाता वहाँ आ पहुँचा। उसने अपनी गति भी धीमी नहीं की, प्रताप को अपनी सूँड में उठाया, और उसे एक ओर फेंककर अपने रास्ते चला गया।

प्रताप अचेत लेटा था। वह घायल हो गया था। उसे घर ले जाया गया। जब वह जाग गया तो, रामलाल स्वामी ने उससे पूछा :

"तुम्हें पता था कि एक पागल हाथी आ रहा है तो, तुम औरों की तरह भागे क्यों नहीं?"

"ईश्वर हर कहीं है, वह पशु और मनुष्य का रूप धारण कर लेता है, इसलिए मैंने सोचा कि ईश्वर एक हाथी के रूप में प्रकट हो रहा है।"

"निस्सन्देह हर वस्तु ईश्वर का रूप है। पागल हाथी रूपी ईश्वर तुम्हारी ओर आ रहा था किन्तु महावत रूपी ईश्वर ने तुमसे कहा कि यहाँ से हट जाओ। तुमने ईश्वर के उस रूप की बात क्यों नहीं सुनी जो तुम्हें चेतावनी दे रहा था?"[32]

खोया हुआ

सभी कुछ, दृश्य और अदृश्य, जो उसमें विद्यमान है, उसके साथ है, उससे पृथक है, वह उससे इतर नहीं है, क्योंकि वह इतर स्वयं वह है—यह कहना है इब्न अरबी का।[33] और इसलिए जो ईश्वर को खोजता है वह स्वयं ईश्वर है; ईश्वर स्वयं खोजी है, और इस कारण वही खोया हुआ और व्यग्र है—यह उत्तर है व्यग्र जन का।

दो सन्यासी वन में एक-दूसरे के थोड़ा समीप ही रहते थे। उनमें एक प्रज्ञावान था और दूसरा पागल। एक दिन, पागल संन्यासी प्रज्ञावान संन्यासी के पास गया।

"तुम कौन हो?" प्रज्ञावान संन्यासी ने पागल संन्यासी से पूछा।

"मैं तुम हूँ। और तुम, तुम कौन हो?" पागल संन्यासी ने कहा।

प्रज्ञावान संन्यासी ने उत्तर दिया, "मैं यह जानता हूँ कि मैं नहीं जानता। मैं यही पता करने के प्रयास में यहाँ हूँ।"

"मैं भी नहीं जानता, मैं नहीं जानता मैं कौन हूँ," पागल संन्यासी ने तार्किक रूप में कहा। "तुम यहाँ क्या कर रहे हो?"

"मैं ईश्वर को खोज रहा हूँ।"

"मैं भी", पागल संन्यासी ने उत्तर दिया। "तुम ईश्वर को कैसे खोज रहे हो?"

"मेरा मानना है कि संसार वास्तविक नहीं है। मेरी तो यही मान्यता है।"

"जहाँ तक मेरी बात है तो, मैं संसार के पागलपन को देखता हूँ। शायद यह वही बात है, क्योंकि मैं पागल हूँ।"

प्रज्ञावान संन्यासी ने पागल संन्यासी से पूछा, "शायद तुम जानते नहीं, किन्तु तुम अत्यन्त प्रज्ञावान दिखाई देते हो। तो, यह सब हुआ कैसे? हम यहाँ ईश्वर को खोजते हुए कैसे आ पहुँचे?"

और पागल संन्यासी ने उसे यह कहानी सुनाई :

आदि में, ईश्वर ने संसार की रचना की, और फिर उसने समस्त प्रकार के जीवित प्राणियों की संकल्पना और रचना की। फिर उसने कहा कि उसने जो कुछ भी किया अच्छा और सुन्दर था, और वह अत्यन्त प्रसन्न हुआ। किन्तु जब ईश्वर ने वहाँ लौटना चाहा जहाँ से वह आया था तो, उसे ज्ञान हुआ कि अब उसे वापस

स्वर्ग जाने का रास्ता नहीं पता। वह दिग्भ्रमित और व्यग्र हो गया। और उसने यह भी देखा कि उसकी शक्ति तेजी से क्षीण हो रही थी। उसने एक गौरैया का रूप धारण किया, और एक अबाबील से पूछा :

"ईश्वर तक पहुँचने का मार्ग क्या है?"

"उड़ो और तुम स्वर्ग में पहुँच जाओगी", अबाबील ने आकाश में उड़ते हुए कहा।

किन्तु भूमि के पर आकाश ईश्वर का वास नहीं था।

उसने एक छुछूंदर का रूप धारण किया और एक कीड़े से वही प्रश्न किया।

"ईश्वर भूमि में है। खोदो और तुम उसे देख पाओगे," कीड़े ने मुँह भर मिट्टी निगलते हुए कहा।

किन्तु भूमि के अन्दर भी ईश्वर का वास नहीं था।

उसने पानी में गोता लगाया जहाँ उसे एक छोटी सोन मछली मिली। उसने उससे पूछा :

"क्या तुम जानती हो तुम कौन हो और कहाँ से आई हो?" ईश्वर ने उससे पूछा।

"मैं नहीं जानती मैं कौन हूँ और कहाँ से आई हूँ," "मछली ने उत्तर दिया। "किन्तु मेरी मान्यता है कि ईश्वर ने मुझे रचा है और मैं जिस जल में तैरती और साँस लेती हूँ, उसके समान वह सर्वत्र है।"

"यदि ईश्वर सर्वत्र है तो, उसे कैसे खोजा जा सकता है?"

"मैं यह भी नहीं जानती। किन्तु जब मैं गोल-गोल घूमती हूँ तो, मुझे लगता है ईश्वर मेरे बहुत निकट है।"

ईश्वर ने सोचा कि यह मछली तो मूर्ख है, या शायद वह पागल है...

"तुम्हें नहीं पता कि तुम कौन हो और कहाँ से आई हो, और फिर भी तुम्हारा विश्वास है कि ईश्वर ने तुम्हें रचा है। यदि उसने तुम्हें इतना अज्ञानी बनाया है तो, वह भी ऐसा ही होगा। क्या तुम सोचती हो कि ईश्वर भी ईश्वर में विश्वास करता है?" ईश्वर ने हँसते हुए कहा।

उसने मछली से विदा ली और वापस शुष्क भूमि पर आकर एक सर्प का रूप धारण कर लिया। उसे एक विशालकाय हाथी मिला।

"मैं ईश्वर हूँ", हाथी ने कहा।

ईश्वर ने इस जीव को देखा और सोचा : यदि यह ईश्वर है तो, मैं कौन हूँ?

तब हाथी ने गंभीरता से कहा :

"मैं, तुम्हारी तरह ही जीवन में खोया हुआ, ईश्वर हूँ, मैं जहाँ पहले था वहाँ का रास्ता खोजने में असमर्थ हूँ। क्या तुम सोचते हो कि कोई मार्ग है? क्या कोई

वस्तु या प्राणी हमारी सहायता कर सकता है?"

"मैं निश्चित नहीं हूँ, किन्तु मैं खोजता रहता हूँ।"

इस प्रकार ईश्वर की समझ में आया कि उसने जो कुछ भी रचा सब उसी जैसा था, संसार और जीवन में खोया हुआ। उसने हाथी से विदा ली और धरती पर भ्रमण किया। एक दिन उसे एक बड़ा, बूढ़ा कछुआ मिला जो एक संन्यासी की तरह सागर तट पर रहता था। ईश्वर ने उसे अपनी कहानी सुनाई, उसने स्वीकार किया कि उसने इस संसार की रचना की और अब वापस अपने पास नहीं आ पा रहा।

"मैं ईश्वर का मार्ग कैसे पा सकता हूँ?" ईश्वर ने पूछा।

"उस मार्ग की खोज में मैंने संसार की त्याग दिया है", कुछए ने अपने खोल में अपनी गर्दन समेटकर कहा।

यह सुनकर, ईश्वर ने जाना कि यदि वह स्वयं को पाना चाहता था तो, उसे भी संसार त्यागना चाहिए था। किन्तु अंतर्मन में टटोलने पर उसे ज्ञात हुआ कि वह संसार को त्यागना नहीं चाहता...

"और कोई उपाय नहीं है क्या?" उसने कछुए से पूछा। कछुए ने धीरे से अपना सिर खोल से निकाला और कहा : "तुम तो कारणहीन भाव हो और भाव (होने) का कारण है। तो भाव का कोई अभिप्राय खोजने का प्रयास करो।"

तब ईश्वर ने थोड़ी मिट्टी ली और उससे एक आकृति गढ़ी जिसे मनुष्य लोग 'मनुष्य' कहते हैं। फिर उसने उसमें अपनी साँस फूँकी। उसने स्वर्ग का मार्ग खोजने के प्रयास को त्यागा नहीं है। और वह अब भी स्वर्ग की खोज में लगा है।

किस प्रकार का धर्म?

जो कोई दूसरों को अपने धर्म में लाना चाहता है, उसे पहले उनके समक्ष इसके कारण प्रस्तुत करने चाहिए। प्राय : इनमें भय, चिन्ताएँ, सम्मोहन, और कलुष कल्पनायें निहित होती हैं। साधु कभी अपने धर्म को साझा नहीं करता, मात्र अनुभव को बाँटता है।

एक पुरोहित एक अविश्वासी से कह रहा थाः

"तुम्हें अपने मोक्ष के लिए प्रयास करना चाहिए, सच्चे धर्म को अपनाना चाहिए, ईश्वर के नियमों का पालन करना चाहिए, जिस विधि से प्रार्थना सिखाई गई है उसी विधि से प्रार्थना करनी चाहिए, धर्म शास्त्रों के बताए अनुसार अपने पड़ोसी से प्रेम करो और दान करो, और तुम्हें मृत्यु पश्चात् अनन्त जीवन में विश्वास करना चाहिए। अन्यथा, जब न्याय का दिन आएगा तो, तुम्हें पछताना पड़ेगा।"

अविश्वासी ने उत्तर दिया :

"मैं सन्तों के साहस और संन्यास का कभी अनुकरण कर नहीं पाऊँगा, और जिन प्रज्ञावानों का मैं सम्मान करता हूँ उनकी प्रज्ञा मैं कभी प्राप्त कर नहीं पाऊँगा। यदि आप अपने धर्म की बात कर रहे हैं तो, उसे अपनाने की मेरी कोई इच्छा नहीं है, क्योंकि जो व्यक्ति अन्य किसी प्रकार ईश्वर की ओर आकर्षित हो सकता है, वह आपको देखकर उसमें अंततः अपनी रुचि खो देगा। आपका धर्म और कुछ नहीं बस धमकियों और दायित्वों की एक श्रृंखला मात्र है। यह ऐसा ही है जैसे आप लोगों का आवाहन कर रहे हैं कि मरूथल में प्रेम पाएं, भय में दयालुता का अन्वेषण करें, कठिनाई में सुख खोजें, मृत्यु में जीवन का भ्रम पालें, आस्था और आज्ञाकारिता को प्रज्ञा समझ लें, और अंततः ईश्वर को एक निवेश मानें...।"[34]

सम्मेलन

एक दिन सर्वधर्म सम्मेलन का आयोजन हुआ जिसमें पाँच प्रमुख धर्मों के प्रतिनिधियों ने भाग लिया; सम्मेलन में एक श्रोता ने यह प्रश्न पूछा :

"यहूदी लोग शनिवार को क्यों मानते हैं, ईसाई रविवार को, और मुसलमान शुक्रवार को क्यों मानते हैं?"

रब्बी ने उत्तर दिया :

"यहूदी शनिवार को इसलिए मानते हैं क्योंकि उनका विश्वास है कि ईश्वर ने छह दिनों में संसार की रचना की, और सातवें दिन अर्थात् सृष्टि के प्रथम शनिवार को, उसने सृजन रोक दिया और रचनात्मक कार्यों में आगे कोई हस्तक्षेप नहीं किया। ईश्वर ने संसार को मनुष्य के लिए छोड़ दिया। यहूदी इसी उपहार का उत्सव मनाते हैं।"

पादरी ने कहा :

"ईसाई लोग यीशु ख्रीष्ट को परमेश्वर का पुत्र मानते हैं जो लोगों को पापों से बचाने आया। इसीलिए वे रविवार अर्थात् सृष्टि के आठवें दिन यानी एक नए काल यानी सुसमाचार युग के प्रथम दिन को मानते हैं।"

इमाम ने अपनी किताब का हवाला दिया :

"जब ईश्वर ने कुछ तय किया तो, उसने यह संकल्प किया, और इसे निर्धारित करने के बाद, उसने इसे किताब में लिख दिया, और इसी किताब के अनुसार उसने समस्त जीवों की रचना की और उनके जीवन को नियन्त्रित करता है।" मुसलमानों के लिए, संसार अब भी सृष्टि के छठे दिन में है, क्योंकि ईश्वर ने संसार से अपना हाथ नहीं खींचा है और अब भी इसे नियन्त्रित करता है। जो कुछ भी होता है उसमें उसकी इच्छा और उसका सर्वशक्तिमान संकल्प व्यक्त होता है। इसीलिए हम शुक्रवार को मानते हैं, जिस दिन ईश्वर ने धरती पर मनुष्य की रचना की।"

लामा ने कहा :

"हम नहीं जानते कि क्या ईश्वर ने संसार की रचना की, क्या यह संसार छह दिनों में रचा गया, और क्या शुक्रवार, शनिवार या रविवार को मानना बेहतर है। हम तो यह जानते हैं कि इस संसार में दुख है। प्रश्न यह है कि हम स्वयं

को इससे कैसे मुक्त क़र सकते हैं? हमारा मानना है कि हमें समान रूप में और एक ही समय में प्रत्येक दिन, प्रत्येक घंटे, प्रत्येक मिनट के प्रति अनासक्त और सावधान होना चाहिए, क्योंकि हम प्रत्येक काया में जीवन का उत्सव करते हैं जिसका प्रत्येक क्षण दुख को समझने और उससे मुक्त होने का अवसर प्रस्तुत करता है।''

स्वामी ने एक क्षण को ध्यान किया और फिर धीमे स्वर में कहा :

''यदि ईश्वर ने संसार की रचना की तो, क्या इस संसार में और इससे परे विद्यमान सब कुछ पवित्र नहीं है? किन्तु क्या कोई वास्तविक जगत है? या यह जगत मात्र एक स्वप्न, एक भ्रम, एक मृग मरीचिका है? हम चंद्रमा, सूर्य और धरती को मानते, पति-पत्नी और बच्चे को पूजते, उपवास और भोज को महिमामंडित करते, सृजनहार परमेश्वर अर्थात् उस परमेश्वर का सम्मान करते हैं जो रचता, संरक्षण करता, और मिटाता है, जो जीवन-मृत्यु का निर्धारक है, हम प्रज्ञा, भक्ति, ज्ञान, प्रेम, और दान का गुणगान करते हैं... हम प्रत्येक वस्तु को, प्रत्येक दिन प्रत्येक क्षण में आशीषित और पवित्र करते हैं।''

तब संचालक ने यह कहकर सत्र का समापन कियाः

''प्रश्नों को साझा करना, उत्तरों को साझा करने की अपेक्षा अधिक सरल है, क्योंकि हमारे उत्तर तो भिन्न होते हैं, किन्तु हमारे प्रश्न एक-से होते हैं।''[35]

धन्य नगरी

अपने विश्वासों के अनुसार जीना बुद्धिमानी है, ऐसा कहा जाता है। किन्तु धर्म के सूत्रों को यथावत अपनाना भी उतना ही साधुतापूर्ण अथवा उतना ही पागलपन हो सकता है....

अपनी युवावस्था में जिब्रान ने सुना कि एक नगर है जहाँ सभी लोग धर्मशास्त्रों के अनुसार जीवन व्यतीत करते हैं। उसने कहा, "मैं उस नगर को और उसकी धन्य स्थिति को खोजूँगा।" वह नगर बहुत दूर था, अतः उसने अपनी यात्रा के लिए पर्याप्त सामान ले लिया। चालीस दिन की यात्रा के उपरांत उसे वह नगर दिखाई दिया, और इकतालीसवें दिन वह उसमें प्रविष्ट हुआ।

वहाँ पहुँचने पर, उसने क्या देखा! वहाँ के सारे के सारे निवासियों की केवल एक आँख और एक ही हाथ था। यह देखकर उसे बड़ा आश्चर्य हुआ और उसने अपने मन में कहा, "क्या यह सम्भव है कि ऐसे पवित्र नगर में हर कोई एक आँख और एक हाथ वाला है?"

फिर उसने देखा कि चकित वे भी थे, वे उसके दो हाथों और दो आँखों पर आश्चर्य प्रकट कर रहे थे। वे आपस में बात कर रहे थे तो, उसने उनसे पूछा, "क्या यह सचमुच धन्य नगरी है जहाँ हर कोई धर्मशास्त्रों के अनुसार रहता है?" उन्होंने कहा, "हाँ यह वही नगरी है।"

"किन्तु आपको यह क्या हो गया है," वह बोला, "आप लोगों की दाहिनी आँखें औए दाहिने हाथ कहाँ हैं?"

सभी लोग द्रवित हो गए और उससे बोले, "आएँ आकर स्वयं देख लें।"

वे उसे नगर के मध्य में स्थित मन्दिर में ले गए। मन्दिर के अन्दर उसने हाथों और आँखों का एक ढेर देखा। सारे हाथ और आँखें मुरझा चुके थे, सूख चुके थे। तब उसने कहाः "हाय! किस विजेता ने आपके साथ यह क्रूरता की है?"

तब उनमें फुसफुसाहट होने लगी। अन्त में उनमें से एक सयाना आगे आया और बोला, "यह हमने स्वयं किया है। हमारे अन्दर जो बुराई थी ईश्वर ने हमें उसका विजेता बना दिया है।"

और वह सयाना उसे एक ऊँची वेदी के पास ले गया, और सारे लोग उनके

पीछे-पीछे आए। उस सयाने ने जिब्रान को वेदी पर उत्कीर्ण एक लेख दिखाया, जिसमें लिखा था :

"यदि तुम्हारी दाहिनी आँख तुमसे पाप कराए तो, उसे निकाल कर फेंक दो। तुम्हारे लिए यही बेहतर है कि तुम्हारा एक अंग नष्ट हो किन्तु पूरा शरीर नर्क में न डाला जाए। और यदि तुम्हारा दाहिना हाथ तुमसे पाप कराए तो, उसे काटकर फेंक दो। तुम्हारे लिए यही बेहतर है कि तुम्हारा एक अंग नष्ट हो किन्तु पूरा शरीर नर्क में न डाला जाए।"

तब जिब्रान की समझ में आया और उसने लोगों की ओर मुड़कर कहा, "क्या तुममें किसी भी पुरुष या स्त्री के दो आँखें या दो हाथ नहीं है?"

उन्होंने उत्तर दिया, "नहीं किसी के नहीं! ऐसा यहाँ एक भी नहीं है, सिवाय उनके जो अभी इतने छोटे हैं कि धर्मग्रन्थ को पढ़ नहीं सकते और उसकी आज्ञा को समझ नहीं सकते।"

मन्दिर से निकलने पर, जिब्रान ने तुरन्त ही धन्य नगरी छोड़ दी; क्योंकि वह बहुत छोटा नहीं था और धर्म ग्रन्थ को पढ़ सकता था।[36]

ऊँट मेला

शेख आज़म ने यह कहानी मुझे सुनाई :

एक आदमी को लगा कि उसे एक ऊँट की दरकार है, इसलिए वह मेले में पहुँचा और वहाँ उसने ऊँट बेचने वालों से बात की।

"मेरा ऊँट देखिए कितना मजबूत है, देखिए कितना ताकतवर है यह", पहले विक्रेता ने कहा, "यह आपका सारा बोझ और सारी चिन्ताएँ ढोकर ले जाएगा।"

दूसरे ने कहा, "आपको एक दमदार ऊँट चाहिए, एक ऐसा ऊँट जो लम्बे समय तक जिए और आपको दूर तक ले जाए।"

तीसरा बोला, "अरे साहब, यह ऊँट ले जाइए। यह सोने और सम्मान से लदा है। आप इसे लेकर खलीफा के दरबार में भी जा सकते हैं।"

एक अन्य ऊँट वाले ने कहा, "आपको एक बूढ़े ऊँट की जरूरत है। इस ऊँट ने तमाम रास्तों की धूल फाँकी है और अक्लमन्द हो गया है।"

"मेरा ऊँट बेहद कम खाता है और यह पढ़ सकता और गिनती कर लेता है।"

"उस ऊँट पर खुद बादशाह ने सवारी की है।"

"मेरे ऊँट के दादा के परदादा ने पैगम्बर साहब को देखा था..."

"मेरे दोस्त, धर्म एक ऊँट मेले की तरह है," शेख आजम ने स्पष्ट किया। "पुरोहित, सन्त, पैगम्बर और उनके चचेरे-ममेरे भाई आपको अपना धर्म पेश करते हैं; वे आपसे अनन्त जीवन, स्वर्ग, सुख, ज्ञान का वादा सकते हैं....इसके बदले में वे आपसे क्या चाहते हैं? आज्ञाकारिता? समर्पण? क्या वे स्वयं बिना सवारी के चल सकते हैं?

"यदि आप ईश्वर को खोज रहे हैं तो, आपको किसी ऊँट या किसी धर्म की जरूरत नहीं है। ईश्वर आपसे दूर नहीं है। ईश्वर तो एक एकल मामला है। वह आप में हैं; आप उसके विषय में बात कर सकते हैं, किन्तु उसे आप साझा नहीं कर सकते, बेच भी नहीं सकते। आपको अकेले चलना होगा। और मार्ग में, उनकी सुनें जो मुक्त हैं, और आप अपने भरसक वेग से उन लोगों से दूर दौड़ें जो आपकी स्वतंत्रता को अपने वश में करना चाहते हैं" सूफी गुरु ने यह कहकर आपनी बात समाप्त की।[37]

बाबरी मस्जिद

"मनुष्य के एक-दूसरे से घृणा अथवा प्रेम करने के कारण अनन्त हैं"–जे. एल. बोर्खेस।

एक दिन, लगभग एक सौ वर्ष पूर्व, एक मुसलमान ने अयोध्या, भारत की बाबरी मस्जिद में प्रार्थना की और उसे हिन्दू देवता राम के दर्शन हुए। चमत्कार था यह!

यह अपने आप में एक असाधारण घटना थी कि विष्णु के दस अवतारों में से एक, राम ने किसी हिन्दू नहीं बल्कि एक मुसलमान को दर्शन दिए। और यह समाचार चकित करने वाला था कि यह घटना किसी हिन्दू मंदिर में न होकर एक मस्जिद में हुई, इसके कई अर्थ निकाले गए, प्रेम और घृष्ण की अभिव्यक्ति हुई, अत्यधिक कष्ट हुए। लागभग एक सौ वर्ष उपरान्त कुछ हिन्दुओं ने यह दावा कर दिया कि बाबरी मस्जिद का निर्माण वहाँ हुआ है जहाँ कभी सदियों पहले राम को समर्पित एक मन्दिर था, और इतना ही नहीं बल्कि यह मन्दिर इस अवतार का जन्म स्थान है।

रामायण के अनुसार, राम का जन्म रामजन्मभूमि में हुआ था। किन्तु यह निश्चित नहीं है कि यह स्थान वहीं था जहाँ आज अयोध्या है, और इसलिए राम का जन्म वहीं हुआ था।

जो लोग ईश्वर से प्रगाढ़ प्रेम करते थे, उन्होंने तो एक मुसलमान को राम के दर्शन होने को सहिष्णुता का आमंत्रण माना और यह माना कि यह आस्था पर मानवता में हमारे भाईचारे का स्मरण कराने वाला और दिव्य एकता का प्रतीक है: "ईश्वर एक है। उसके रास्ते अनदेखे हैं और उसके लिए सब कुछ सम्भव है", इन लोगो का यह कहना था। इनमें हिन्दू भी थे और मुसलमान भी।

किन्तु एक अकेले धर्म में विश्वास करने वाले, वे लोग जो अन्तिम प्रकाशनों या निर्विवाद आस्था में विश्वास करते हैं, उन्होंने इन बातों को अस्वीकार कर दिया। उनका कहना था कि "ईश्वर केवल एक है और उसका नाम है अल्लाह, और मुहम्मद उसके आखिरी पैगम्बर है। उसका सम्बन्ध किसी और से नहीं है। उसके सिवाय कोई और ईश्वर नहीं है, उससे इतर कुछ भी नहीं है, और उसकी इच्छा के बिना कुछ नहीं होता।" उनका तर्क था कि "यदि इस्लामी योद्धाओं ने भारत को जीता

है तो, इसका कारण यह है कि सर्वशक्तिमान अल्लाह की यही इच्छा थी। यही नहीं, अल्लाह की यह भी इच्छा थी कि हिन्दुओं की रीतियों और मान्यताओं के पथभ्रष्ट होने को भी उजागर किया जाए। इसलिए यदि राम एक मस्जिद में एक मुसलमान के समक्ष प्रकट हुए तो, इसका बस एक ही मतलब हो सकता है : कि इस्लाम अन्तिम प्रकाशन है, और समस्त प्राचीन परम्पराओं का स्थानापन्न है।''

सच है, अतिशय उत्साही हिन्दुओं ने इसे इस प्रकार से तो कतई नहीं देखा। यदि राम ने एक मुसलमान को एक मस्जिद में दर्शन दिए तो, स्पष्ट है कि वह यह दिखा रहे थे कि इस्लाम एक भूल है, और राम सही मार्ग की ओर संकेत कर रहे थे। यही नहीं, यदि मुसलमानों ने भारत पर आक्रमण किया और राम ने उन्हें विजय प्रदान की तो, यह इसलिए था कि मुसलमान भी राम के दर्शन कर सकें। उन्होंने राम के कथित जन्मस्थान पर निर्मित बाबरी मस्जिद को ध्वस्त करने का और उस स्थान पर एक हिन्दू मंदिर के पुनर्निर्माण का निर्णय कर लिया। सच, इससे उन्हें तनाव, अशांति पैदा करने और क्रोध-लड़ाई और मृत्यु की स्थितियाँ बनाने में सफलता मिल गई।

हरेक व्यक्ति ने राम के दर्शन के चमत्कार को अपने ही विश्वास के चश्मे से देखा। प्रत्येक व्यक्ति ने इसे अपनी आस्था के प्रमाण के रूप में देखा, और इसे बैर, अस्वीकार या सन्तुष्टीकरण के रूप में लिया।

मुस्लिम कट्टरपन्थियों और हिन्दू धर्मांधों में क्या अन्तर रहा? वे दोनों ही लड़ने के कारण ढूँढ रहे थे, और इस प्रकार वे दोनों एक-जैसे थे। उनका दावा था कि उनके धर्म भिन्न हैं, किन्तु इन दोनों ही धर्मों ने उनसे एक-सा काम करवाया! उन दोनों के धर्मों ने उनमें घृणा को प्रोत्साहित किया।

महिला सामंत

उन्नीसवीं शताब्दी में उत्तरी इटली में अधिकांश लोग अपने रोमन कैथोलिक धर्म का पालन करते थे, सायास गिरजाघर जाते थे, नियमित रूप से पाप स्वीकरण करते थे, और सदाचार और नैतिकता के नियमों के पालन में सतर्कता का प्रयास करते थे।

गिरजाघरों में वे एक जाप करते थे जिसमें यह वाक्य होता था : "मैं विश्वास करता हूँ यीशु ख्रिष्ट में जो पवित्र आत्मा की ओर से क्वांरी मरियम की कोख से पैदा हुआ..."

एक दिन इस देश के एक नगर में, अमुक स्थान की महिला सामंत को पता चला कि वह गर्भवती है। यह इसलिए और भी हैरानी की बात थी क्योंकि उसने कभी किसी पुरुष से संसर्ग नहीं किया था, बिलकुल भी नहीं। उसने डॉक्टर को बुलाया जिसने उसकी पुष्टि की, फिर दाई ने भी डॉक्टर के निदान को सही बताया वह गर्भवती थी।

महिला सामन्त के गर्भ की खबर फैल गई। और जब उसने लोगों को विश्वास दिलाया कि उसके किसी भी पुरुष से कभी सम्बन्ध नहीं रहे तो, किसी ने उस पर विश्वास नहीं किया। लोगों ने निर्ममता से उसकी निन्दा की। उसकी अपनी माँ ने ही उसकी सत्यनिष्ठा पर सन्देह किया, उसके पिता ने उसे घर से दूर भेज दिया। नगर में ऐसा एक भी पुण्यात्मा नहीं था जो महिला सामन्त को सन्देह का लाभ देता। जहाँ तक हमारी बात है तो, हम कैसे बता सकते हैं कि उस महिला सामंत का कभी पुरुष से सम्बन्ध रहा या नहीं। हम तो बस यह जानते हैं कि इस नगर के निवासी यीशु खीष्ट में तो विश्वास कर सकते थे जो पवित्र आत्मा की ओर से क्वांरी मरियम से पैदा हुआ था... वे एक विस्मयकारी घटना को तो सच मानने को तैयार थे जो कथित तौर पर बहुत दूर और बहुत पहले हुई थी, और जिसकी घोषणा धर्म गुरुओं ने की थी। किन्तु अपने ही जीवन काल में और अपने ही घर के निकट वे यह मानने को तैयार नहीं थे कि प्रकृति के नियमों को चमत्कार गड़बड़ा सकते हैं।

"यीशु और मरियम से नियमित प्रार्थना करने वाले ये भले लोग शायद ठीक उन लोगों की तरह थे जिन्होंने बहुत पहले, यीशु खीष्ट की निन्दा की थी। मानव स्वभाव बदला नहीं था। तो क्या हम उनमें से हैं जो सन्तों से मुँह मोड़ लेते हैं या फिर उनमें से हैं जो उनके शिष्य बन जाते हैं?"

"दोष मत लगाओ कि तुम पर दोष न लगाया जाए। जो निष्पाप है वह पहला पत्थर मारे...."[38]

अपराधी या नहीं, सवाल यह है

यदि ईश्वर बुराई को रोकना चाहता है और ऐसा कभी कर नहीं पाता तो, वह अशक्त है;

यदि वह ऐसा कर सकता है और करना नहीं चाहता तो, वह विकृत है;

यदि वह ऐसा कर भी नहीं सकता और करना भी नहीं चाहता तो, वह अशक्त और विकृत है;

यदि वह करना भी चाहता है और कर भी सकता है तो, वह करता क्यों नहीं है?

—एपिक्यूरस

जहाँ जीवन रोमांचक हो सकता है, वहीं प्रायः यह कठिन और भयानक भी होता है।

दस हजार वर्ष पूर्व, हमारे पूर्वज यह जान गए थे। जीवन क्रूर और पीड़ाजनक है किन्तु वे इस सरल सत्य का इस बेलाग और स्पष्ट जानकारी का क्या कर सकते थे? उनकी अशक्तता ने उन्हें मर्यादित कर दिया था।

उन्होंने भगवानों का आविष्कार कर लिया, उन्हें गुणों से युक्त कर दिया और उनकी प्रार्थना करने लगे। किन्तु उन्होंने मनुष्य मात्र की कठिनाइयों से कोई सहानुभूति नहीं रखी। तमाम कर्मकांडों, आवाहनों, और आहुतियों के बाद भी, लोग दुर्घटनाओं और दुश्मनों के शिकार हो जाते थे और सूखा और रोग की चपेट में आ जाते थे। उन्होंने न जाने किस-किस भगवान से प्रार्थना की किन्तु कुछ भी नहीं बदला।

तब वे इसके कारण खोजने लगे : यदि भगवान जीवन के कष्टों को दूर नहीं कर रहे थे तो, शायद वे स्वयं अपनी कठिनाइयों के लिए जिम्मेदार थे। उन्होंने कोई अपराध किया था। उन्होंने पाप किया था...इस प्रकार हमारे पूर्वजों ने जीवितहोने के अपराध-बोध को जन्म दिया।

इसी से धर्मों की स्थापना हुई। यामोमामी तो बड़े वृक्ष से गिर गए थे और वे प्रतीक्षारत थे कि भगवान उन्हें वापस बुलाएँ, गिज़िगा ने उस आकाश को परे धकेल दिया था जिससे उन्हें पोषण मिलता था; प्रथम नर, आदम, ने भले-बुरे के

ज्ञान के वृक्ष से फल खाकर ईश्वर की आज्ञा को भंग किया; जन्म का कारण कर्म है। पिछले जन्म के कर्म इस वर्तमान जन्म का कारण हैं। किन्तु कर्म का कारण क्या है? पूर्व कर्म से पहले, प्रथम कर्म का कारण क्या था?

सभी ने यह सोचा कि पवित्रता-शुद्धता की बहाली आवश्यक थी। सभी का मानना था कि उन्हें उस विपत्तिजनक घटना के निरोध का प्रयास करना होगा जिसने जीवन को दुखद और भयंकर बना दिया था। इसके लिए, उन्होंने तमाम तरह के प्रतिबंधों निषेधों, सदाचार के नियमों, केश और वस्त्र सम्बन्धी विनियमों की संकल्पना कर डाली; कुछ ने सुखों का त्याग कर दिया, दूसरों ने अपना जीवन उपवास और तप को समर्पित कर दिया, वहीं कुछ अन्य ने अपने अंग भंग कर लिए। जीवन कठिन था, अतः अपने पापों के प्रायश्चित करने और काल्पनिक मौलिक अबोधता की बहाली करने, और पीड़ा के अपराध बोध की कीमत चुकाने के प्रयास में, उन्होंने उसे और भी कठिन बना दिया।

किन्तु भगवानों ने मनुष्य को उसके दुखों और कष्टों से फिर भी मुक्त नहीं किया। उन्होंने दुख का निवारण और दुर्भाग्य का निरोध या तो इसलिए नहीं किया कि वे अशक्त थे, या इसलिए कि पाप और अपराध का बोझ कल्पना से कहीं अधिक था। फिर भी यह कल्पना बहुत ही कम लोगों ने की कि भगवान इस विषय में कुछ नहीं कर सकते।

तब से लेकर अब तक हम बहुत नहीं बदले हैं। कुछ लोगों ने ईश्वर को अनेक से एक कर दिया है, किन्तु वे जीवन को अपराधबोध से अभिशप्त कर उसे अब भी घृणित समझ रहे हैं। और हम उस 'पूर्व' स्थिति में अपने विश्वास को अब भी बनाए हुए हैं जब चीजें बेहतर थीं।

महाजलप्रलय, महाअग्निप्रलय, हिरोशिमा और अन्य अनेक व्यक्तिगत और सामूहिक आपदाओं के बाद भी आप किसी शक्तिमान, चमत्कारी, दयालु, और पितृतुल्य ईश्वर की संकल्पना कैसे कर सकते हैं? हमारा प्रत्येक कष्ट हमें आमन्त्रित करता है कि हम ईश्वर और विधि के विधान (चमत्कार) के विषय में जो भी सोचते हैं उस पर पुनर्विचार करें, या वह हमें अपराध बोध की ओर कुछ और धकेल देता है। क्योंकि यदि हम यह विश्वास करते रहे कि एक दयालु ईश्वर इस संसार को नियन्त्रित करता है तो, हमें कष्ट और कठिनाई के लिए पीड़ित को ही जिम्मेदार मानना होता है। या इससे भी बुरी स्थिति होती है जब हम यह मानते हैं कि हत्यारे से अधिक दोषी वह व्यक्ति है जिसकी हत्या हुई है। और हम, और भी बुरी स्थिति में, यह तार्किक निष्कर्ष निकाल बैठते हैं कि हत्यारा तो ईश्वर का माध्यम है।

जीवन के उतार-चढ़ाव बदलेंगे नहीं, अन्यथा वे अब तक बदल गए होते। यदि हम कुछ बदलना चाहते हैं तो, हमें सहृदय होने का प्रयास करना होगा।

आदि काल से, हम दुख झेल रहे हैं और इस दुख का कारण जानने का

प्रयास कर रहे हैं। हमने भाव (होने) के अपराधबोध का आविष्कार कर लिया है और दुर्भाग्य और सुख के लिए भगवान को जिम्मेदार बना दिया है। किन्तु हमने प्रेम और आनन्द का भी आविष्कार किया है और उन्हें परोपकार और करुणा का विस्तारित रूप दिया है। इस प्रकार जीवन की कठोरता को दया, करुणा, एकजुटता, निरोध और राहत में रूपान्तरित किया जा सकता है।

ईश्वर को किसने देखा है?

जो लोग ईश्वर के होने का दावा करते हैं उन्होंने उसे देखा नहीं है। वे कभी ऐसे किसी व्यक्ति से नहीं मिले हैं जिसने उसे देखा हो, या ऐसे किसी व्यक्ति से भी जो ऐसे किसी व्यक्ति को जानता हो जिसने उसे देखा हो...

बुद्ध ने अपने शिष्य वसेट्ठ से पूछा, "यह बताओ, वसेट्ठ, क्या वेदों में पारंगत समस्त ब्राह्मणों में से किसी एक ब्राह्मण ने ईश्वर को अपने-सामने देखा है?"

"नहीं, भन्ते गौतम, ऐसा एक भी ब्राह्मण नहीं है।"

"अब यह बताओ, वसेट्ठ, क्या वेदों में पारंगत ब्राह्मणों के समस्त आचार्यों में से किसी एक आचार्य ने ईश्वर को साक्षात् देखा है?"

"नहीं, भंते गौतम, ऐसा कोई आचार्य नहीं है।"

अब यह और बताओ, वसेट्ठ, क्या वेदों में पारंगत ब्राह्मणों के ऋषियों ने, अथवा प्राचीन गायन के वचनों अथवा वेदों के रचयितागण ने कभी यह कहा है कि "हम जानते हैं ईश्वर कौन है। हम जानते हैं वह कहाँ से आया है और कहाँ जा रहा है।"

"नहीं, उन्होंने ऐसा कभी नहीं कहा, भन्ते गौतम।"

"फिर भी, जो ब्राह्मण यह बोल रहे हैं कि यह प्रत्यक्ष मार्ग है, मोक्ष का मार्ग है, यह वह मार्ग है जो ईश्वर से मिलन कराता है वे वस्तुतः यह कह रहे हैं कि हम उससे मिलन का मार्ग बता रहे हैं जिसके विषय में हम कुछ नहीं जानते, जिसे हमने देखा नहीं है। यदि हम तथ्यों को देखें तो ब्राह्मणों के वचन क्या मूर्खतापूर्ण नहीं हैं?"

"हाँ, निश्चय ही, भन्ते गौतम।"

"मान लो, वसेट्ठ, कोई पुरुष कहता है कि मैं इस देश की सबसे सुन्दर कन्या की प्रतीक्षा कर रहा हूँ और मैं उससे विवाह करना चाहता हूँ। तो कोई उससे यह पूछ सकता है कि क्या तुम्हें उसकी जाति, उसका कुल नाम पता है? क्या तुम्हें पता है वह किस गाँव में रहती है? वह लम्बी है या छोटी, काली है या साँवली या फिर स्वर्णिम वर्ण की?" वह उत्तर देता है कि मुझे नहीं पता। तो क्या कोई उससे यह नहीं कहेगा कि वाह, तुम एक ऐसी कन्या की प्रतीक्षा कर रहे हो जिसे

तुम जानते ही नहीं! अतः, क्या यह सम्भव है कि ब्राह्मण उससे मिलन का मार्ग बताएं जिसके विषय में वे कुछ जानते ही नहीं और जिसे उन्होंने देखा ही नहीं?"

"कदापि नहीं, भन्ते गौतम।"

"मान लो, वसेट्ठ, कि कोई व्यक्ति नदी पार करने, उस पार पहुँचने की इच्छा से यहाँ नदी तट पर आए। तब कल्पना करो कि तट पर खड़ा व्यक्ति नदी के दूसरे तट का आवाह्न करे कि यहाँ आओ, हे दूसरे तट! इस किनारे आओ!" क्या तुम सोचते हो, वसेट्ठ, कि उसके आवाह्न, प्रार्थनाओं, कामनाओं, और स्तुतियों के कारण नदी का दूसरा तट सचमुच उस तट पर आ जाएगा जहाँ वह खड़ा है?"

"कदापि नहीं, भन्ते गौतम।"

"इसी प्रकार वसेट्ठ, क्या यह संभव है कि ब्राह्मण, अपने आवाह्नों, प्रार्थनाओं, कामनाओं और स्तुतियों के बल पर ईश्वर से मिलन करा देंगे?"[39]

कौन जानता है, कौन यह निश्चित बता सकता है कि यह सृष्टि किस से उत्पन्न हुई और कहाँ से आई। भगवानों की उत्पत्ति हमारे संसार की रचना के उपरान्त हुई। किन्तु कौन जानता है कि संसार कहाँ से आया? वह जो भी है जो ऊपर स्वर्ग से इस संसार को देखता है, बस वही जान सकता है। या, हो सकता है वह नहीं जानता।" —ऋग्वेद[40]

उन्हें ज्ञान दो

किसी धर्म को अपने आलोचकों का इतना भय नहीं जितना स्वयं अपने भीतर से, विशेषकर तब जब वह उसे गँवा दे जिसे वह छिपाना चाहता था,– आर्यदेव।

अमरीका में, दलाई लामा को अमरीकी यहूदियों को सम्बोधित करने का आमन्त्रण मिला था। व भाषण के अन्त में, किसी ने उनसे यह प्रश्न किया :

"हम अपने बच्चों को बौद्ध धर्म अपनाने से कैसे रोक सकते है?"

दलाई लामा ने उत्तर दिया :

"यदि तुम्हारे पास ज्ञान है तो, तुम उन्हें अवश्य दो। यदि तुम्हारे पास ज्ञान नहीं है तो, तुम उन्हें ज्ञान की खोज करने से रोक नहीं सकते।"

चार

अन्य धर्म

पश्चिम में, और पूर्व में भी, वस्तुतः हर कहीं, प्रत्येक धर्म में दो धर्म हैं। एक तो मुख्यधारा का धर्म है, जिसे आस्था कहते हैं। इसमें हठधर्मी सिद्धान्त होते हैं जो सभी के लिए एक समान होते हैं, ये धार्मिक विचार और भावना के लिए सिले-सिलाए वस्त्र की तरह होते हैं। फिर योगी का अथवा प्रज्ञावान का धर्म होता है, जिसे आध्यात्मिकता भी कह सकते हैं। इसमें वे पद्धतियाँ और रीतियाँ होती हैं जो व्यक्ति को किसी ज्ञान की प्राप्ति की ओर, संसार तथा उससे इतर के साथ एक भिन्न सम्बन्ध के अनुभव की ओर ले जाती हैं।

यौगिक परम्राओं में, आध्यात्मिक खोज की पराकाष्ठा उस 'एक' के साथ मिलन होता है। राइनलैंड के बारहवीं शताब्दी के कैथोलिक माइस्टर एकहार्ट ने कहा है : "सरल लोग कल्पना करते हैं कि उन्हें ईश्वर के दर्शन करने ही चाहिए मानो वह वहाँ है और वे यहाँ हैं। ऐसा नहीं है। ईश्वर और मैं ज्ञान में एक हैं। जो जानता है और जो जाना जाता है, वे एक हैं।"

ईश्वर एक है। लिखने में हम इसे विशेष बल के साथ प्रस्तुत करते हैं। इससे यह अर्थ भी निकलता है कि ईश्वर अनेक नहीं, एक है? अथवा क्या इसका यह अर्थ निकलता है कि जो एक है, एकीकृत है, वह दिव्य है?

क्योंकि, यदि ईश्वर एक है तो क्या वह 'अन्य' अथवा, 'भिन्न' हो सकता है? क्या 'एक' और 'अन्य' असंगत नहीं हैं? यदि ईश्वर 'कोई' या कुछ भिन्न होता (उसे कभी-कभी "आमूलतः भिन्न" भी कहा जाता है) तो, अपनी आस्था के केंद्र में और 'एक' होने के प्रयास में, इस ईश्वर के प्रति निष्ठावान मनुष्य विश्वासी विषयी 'मैं' और आस्था का विषय ईश्वर के द्वैत में ही बना रहेगा। इस प्रकार उस 'एक' की खोज की प्रक्रिया में वह फिर भी पृथकता की स्थिति में मूलबद्ध रहेगा। यदि ईश्वर एक है तो, क्या हम वह ईश्वर नहीं हैं और क्या उस ईश्वर का ज्ञान हमारे ही अन्दर उपलब्ध नहीं होगा? एकेश्वरवाद का अर्थ क्या यही नहीं है—इस मात्र 'एक' की खोज? ईश्वर या तो हमसे भिन्न है अर्थात् हमें आस्थावान होना ही चाहिए या उसकी खोज करनी छोड़ देनी चाहिए, या फिर ईश्वर भिन्न नहीं है और उस स्थिति में हमें ये आध्यात्मिक प्रश्न करने होंगे : मुझमें ईश्वर कहाँ है? मनुष्य में दिव्य क्या है? ईश्वर और मनुष्य किस प्रकार भिन्न हैं? वे किस प्रकार समान हैं?

समस्त धार्मिक परम्पराओं ने एक 'अन्य' ईश्वर और एक मनुष्य के अंतस् में विद्यमान ईश्वर, दोनों के विषय में बताया है। धार्मिक मत एक भिन्न ईश्वर की बात करते हैं, योगी स्वयं के अंतस् में विद्यमान की गवाही देते हैं और उन मार्गों के विषय में बताते हैं जो उसे जानने अथवा उसके निकट जाने की स्थिति की ओर ले जाते हैं। तब महत्त्व इस बात का होता है कि ईश्वर को 'देखना' या ईश्वर की तरह देखना सीखा जाए, अथवा मौन में उसके साथ सम्मिलित हुआ जाए। महत्वपूर्ण यह है कि हम एक अंतर्निहित ईश्वर के प्रति हमारी जागरूकता और घनिष्ठता को उसी प्रकार बढ़ाएं जिस प्रकार हम संसार को देखते हैं।

इब्राहीम

आस्था किसी को पैगम्बर नहीं बनाती, बल्कि यह तथ्य कि वह किसी न किसी प्रकार ईश्वर को सुनता है, ईश्वर को जानता है। वह ईश्वर से प्रत्यक्ष और व्यक्तिगत सम्बन्ध स्थापित करता है।

इब्राहीम का पिता तेरह कई सौ गडरियों के कबीले का शक्तिमान मुखिया था। वे कसदी देश के ऊर स्थान में रहते थे। वह अनेकेश्वरवादी और मूर्तिपूजक था।

सच है, इब्राहीम अपने पिता का सम्मान करता और उसकी आज्ञा मानता था, किन्तु मन ही मन वह उससे मुक्ति की कामना करता था। फिर भी, अपने कबीले को कमजोर किए बिना वह उसे त्याग कैसे सकता था? वह अपने पिता की सत्ता को नुकसान पहुँचाए बगैर उसे कैसे छोड़ सकता था? वह पिता को इस बात के लिए कैसे मना सकता था कि वह उसे, कुछ आदमी और कुछ भेड़ें लेकर जाने दे? कोई उच्च शक्ति ही ऐसा करवा सकती थी।

वह बहुत समय तक इस पर विचार करता रहा, कि तभी उसे एक रहस्याभास हुआ : उसने इब्रानी भाषा में सुना लेख लेखा; यह एक ईश्वरीय आदेश था जो उसके अन्तस् से आ रहा था। इसका अर्थ था : "स्वयं की ओर जाओ।"

जब तेरह ने इब्राहीम से पूछा कि वह क्यों जाना चाहता है तो, उसने उत्तर दिया :

"एक ईश्वर ने मुझसे जाने को कहा है।"

"एक ईश्वर? कौन-सा ईश्वर?"

"एकमात्र ईश्वर।"

तेरह इसका विरोध कैसे कर सकता था? वह तो स्वयं उनकी आज्ञा का पालन करता था। उसने इब्राहीम को जाने दिया।

एकमात्र ईश्वर ने जो प्रथम शब्द—"स्वयं की ओर जाओ"—एकेश्वरवाद के भावी जनक से कहे वह धर्म का मूल अर्थ है : मनुष्य का आध्यात्मिक दिग्दर्शक और उसकी तलाश का लक्ष्य। ईश्वर की छवि और सादृश्य में एक होना, स्वयं की ओर जाना। इब्राहीम के ईश्वर ने उससे यह नहीं कहा कि "मेरे पास आओ", क्योंकि वहाँ पहुँचने का सिवाय आपके स्वयं के माध्यम से कोई मार्ग नहीं है।[41]

"ज्ञान की तलाश में, भाइयों, देश, मित्रों और परिवार को त्याग दो", एपिक्टीटस ने कहा है।

रामकृष्ण

धर्म अनेक हैं और प्रत्येक धर्म में अनेक विभिन्न पंथ हैं। कुछ धर्मों की उत्पत्ति उन धर्मों से हुई जो पहले से विद्यमान थे और उनकी प्रासंगिकता का उल्लेख कभी-कभी नए धर्म में होता है। ईसाई धर्म के संस्थापक ईसा यहूदी थे। बुद्ध हिन्दू थे..." यदि अल्लाह चाहता तो तुम सबको एक समुदाय बना देता। परन्तु जो कुछ उसने तुम्हें दिया है, उसमें वह तुम्हारी परीक्षा करना चाहता है।"[42]

रामकृष्ण ने कहा है कि "मनुष्य अवरोधक और निशान लगाकर अपने खेतों की सीमाएँ खींचते हैं, किन्तु कोई उस विशाल और अखण्ड आकाश का सीमांकन नहीं कर सकता जो हमारे ऊपर फैला है, हमारे चारों ओर है, और जिसमें हम सब सम्मिलित हैं।"

जिस व्यक्ति को बोधि की प्राप्ति नहीं हुई है, वह अपने अज्ञान में कहता है कि उसका धर्म सर्वश्रेष्ठ और एकमात्र सद्धर्म है। किन्तु जब उसका हृदय सच्चे ज्ञान से प्रदीप्त हो जाता है तब उसे आभास होता है कि ईश्वर के विषय में हमारा ज्ञान उतना ही है जितना ईश्वर चाहता है, और यह भी कि पन्थों के तमाम झगड़ों और विश्वासों से परे केवल एक परम सत्ता-ज्ञान-सुख है।

जैसे व्यक्ति किसी मकान की छत पर पहुँचने के लिए सीढ़ी, बाँस, सोपान, रस्सी, या विभिन्न अन्य साधन अपनाता है, ठीक उसी प्रकार ईश्वर तक पहुँचने के मार्ग और पथ अनेक हैं। प्रत्येक धर्म हमें उस तक पहुँचने का एक पथ बताता है। सभी धर्म ईश्वर की ओर ले जाते हैं, किन्तु पथ ईश्वर नहीं हैं।

शास्त्र एक दिशा बताते हैं। जब आप मार्ग को जान लें तो, पवित्र ग्रंथों को रख दें और लक्ष्य तक पहुँचने का प्रयास करें।[43]

एक डिज़र्ट फादर, सिरोपियन, ने यही तो किया था। उसने अपनी धर्म पुस्तक बेच दी और उससे मिला धन यह कहकर भूखों को दे दिया कि :

"मैंने वह किताब बेच दी जिसने मुझे यह सिखाया कि मैं अपना सब कुछ गरीबों को बाँट दूँ।"[44]

जिहाद

यदि ईश्वर इतना ही शक्तिमान है जितना उसे बताया जाता है तो, निश्चय ही उसे अपनी ओर से लड़ने के लिए किसी की भी जरूरत नहीं है। जो लोग फिर भी यह मानते हैं कि ईश्वर के लिए युद्ध छेड़ना वीरता की निशानी है, उनके लिए बेहतर होगा कि वे उतनी ही उमंग से अपनी इच्छाओं को पराजित करें। सौम्यता में कभी-कभी भयंकरतम युद्ध से भी अधिक साहस चाहिए होता है....[45]

एक सूफी पुरुष ने नब्बे लड़ाइयों में बिना किसी सुरक्षा कवच के निर्वस्त्र होकर युद्ध किया, उसे आशा थी कि उसे ईश्वर की सेवा में मृत्यु प्राप्त होगी। उसकी पिटाई हुई, भाले और तलवार और तीरों से घाव लगे, किन्तु उनसे उसे कभी जान का खतरा नहीं हुआ।

उसने कहा, "शहादत के आनन्द में वंचित रहने पर, एक गुफा में अकेले, मैं संसार से कट गया। एक दिन मुझे नगाड़ों की ध्वनि सुनाई दी : सैनिक युद्ध पर जा रहे थे। मुझे अपने समूचे वजूद में एक गहन रोमांच की अनुभूति हुई : "उठो, लड़ने का समय आ गया है। युद्ध में शहीद होने की अपनी इच्छा पूरी करो।" किन्तु मेरी आत्मा ने उत्तर दिया :

"इस छल के पीछे छिपने का कारण क्या है, हे कुटिल अहं? तुम युद्ध में इसलिए मरना चाहते हो क्योंकि जिस चीज से तुम सबसे अधिक भय खाते हो, वह है संन्यास के प्रयास और तप के कष्ट!"

"हे मेरी आत्मा, यहाँ उन अग्नि परीक्षाओं (घोर कष्टों) और पराजयों के विषय में कोई नहीं जानता जो तुम मेरे लिए प्रस्तुत करते हो", मेरे अहं ने कहा। "यदि मैं लड़ाई में मारा जाऊँ तो कम से कम सभी लोग यह तो देखेंगे कि मैं कौन हूँ। और वे मेरी प्रशंसा करेंगे।"

मेरी आत्मा ने उत्तर दिया, "अकिंचन अहं! तुम केवल पाखण्ड और निन्दाकर्म में जीते हो, अपितु तुम उनमें मरना भी चाहते हो।"

तब इस सूफी ने अपनी गुफा कभी न छोड़ने की सौगन्ध खाई : "मेरी अपनी इच्छाओं पर विजय के अतिरिक्त और किस विजय की तलाश करूँ मैं, जिसमें सन्सार को बदलने या रूपान्तरित करने का प्रयास सम्मिलित है? स्वयं को बदलने

का प्रयास करना एकमात्र युद्ध है। और यह किसी को हानि नहीं पहुँचाता।"[46]

शेख आज़म ने बुद्ध के शब्दों को दोहराते हुए कहा था कि "एक मात्र युद्ध किसी और से नहीं स्वयं से युद्ध है। कोई व्यक्ति भले ही हजार व्यक्तियों को युद्ध भूमि में हजार बार जीत ले, किन्तु जो व्यक्ति स्वयं को जीत लेता है श्रेष्ठतम विजेता वही होता है।'"[47]

एक या अनेक? महत्त्व है भक्ति का

एकेश्वरवाद को सदा से मानवता की प्रगति के निर्विवाद मानदंड के रूप में प्रस्तुत किया गया है। मात्र एक ईश्वर में विश्वास करने को अनेक ईश्वरों की पूजा करने से बेहतर माना गया है।

इस विश्वास के पक्षधर एकेश्वरवादियों के पास इस एक ईश्वर के अस्तित्व का कोई प्रमाण नहीं है। उनके पास इसका वैसे ही प्रमाण नहीं है जैसे अनेक ईश्वरों की वास्तविकता में विश्वास करने वालों के पास अपने ईश्वरों की वास्तविकता का प्रमाण नहीं है। उनकी ही तरह, वे बस कुछ विश्वास करते हैं, किन्तु सत्य यह है कि उन्हें स्वयं पता नहीं है।

फिर भी, यद्यपि यह प्राथमिकता निश्चित नहीं है, इसके परिणाम तो भयंकर हैं ही। यदि मैं यह विश्वास करता हूँ कि ईश्वर केवल एक है तो, मुझे यह भी विश्वास करना होगा कि जिस ईश्वर में मैं विश्वास करता हूँ वही सच्चा ईश्वर है। मुझे यह भी विश्वास करना होगा कि मेरे ईश्वर से भिन्न एकमेव ईश्वर अथवा जिन अनेक ईश्वरों में दूसरे विश्वास करते हैं वे सच्चे ईश्वर नहीं हैं। किन्तु यदि एक भिन्न और एकमेव ईश्वर में, अथवा अनेक ईश्वरों में, विश्वास करने वाले सुखी और संपन्न हैं तो, उनका अस्तित्व मात्र ही मेरी अपनी आस्था के लिए खतरा उत्पन्न करता है। जिन्हें मैं सच्चा ईश्वर नहीं मानता वे उनमें विश्वास करते हैं, फिर भी जितना दुखद मेरे साथ घटता है, उससे अधिक उनके साथ नहीं घटता। उनका ईश्वर, या उनके अनेक ईश्वर मेरे ईश्वर से कम या अधिक उदार नहीं है; मेरा ईश्वर जैसे मेरी रक्षा करता है, उनके ईश्वर उससे कम या अधिक उनकी रक्षा नहीं करते। वास्तव में तो, वे मुझे यह दिखाते हैं कि इसका वास्तव में कोई महत्त्व नहीं है।

कुछ लोगों के लिए यह इतना असहनीय होता है कि इससे हिंसा भड़क जाती है। वे अपने विश्वासों की सापेक्षता के प्रमाण को सहन नहीं कर पाते। उनके अनुसार, प्रत्येक व्यक्ति को उसमें ही विश्वास करना चाहिए जिसमें वह विश्वास करता है, ताकि संसार व्यवस्थित और बोधगम्य रहे। इसलिए वे स्वयं को ऐसा बनाना चाहते हैं जो व्यवस्था स्थापित करने के जिम्मेदार होते हैं। वे ईश्वर को उसकी अपनी समस्याएँ क्यों नहीं सुलझाने देते?

हिन्दू लोग विश्वास करते हैं कि ईश्वर के अनेक रूप, अनेक नाम और अनेक कथाएँ हैं....वे नदियों की, वृक्षों, मूर्तियों, पशु-देवों आठ भुजाओं वाले ईश्वरों, अनेक एकमेव ईश्वरों, अवतारों चंद्रमा, सूर्य, काल की पूजा करते हैं...और कुछ तो अद्वैत के प्रत्यक्ष ज्ञान का, अथवा दृष्टा और दृश्य के एकत्व का अनुभव करने का प्रयास करते हैं। पवित्र भाव का विभिन्न प्रकार से प्रदर्शन अनादि काल से वे करते आए हैं। वे सोचते हैं कि अन्य की अपेक्षा एक विशेष ईश्वर को मानना मात्र आकर्षण या लगाव का मामला है। हिन्दुओं के लिए सचमुच महत्त्वपूर्ण तो भक्ति ही है, यह नहीं कि भक्ति किसकी की जा रही है। भक्ति वह मनोवृत्ति है जिसके माध्यम से अहं क्षरित होने में आनन्द प्राप्त करता है। यह विश्वास करने का प्रश्न नहीं है, इसका सम्बन्ध प्रेम करने और आशीष से अधिक है।

वे ईश्वर की मूर्तियाँ बनाने से नहीं डरते। वे यह कहने से नहीं डरते कि ईश्वर तो मूर्तियों से इतर भी है, और यह भी कि ईश्वर से इतर भी कुछ है : वह ब्रह्म अर्थात् अनूठी अवैयक्तिक चेतना है।

हिन्दुओं का बहुदेववादी विकल्प किसी के भी विश्वास के लिए कोई खतरा उत्पन्न नहीं करता, क्योंकि यदि ईश्वर अनेक है तो, जिस ईश्वर में कोई व्यक्ति विशेष विश्वास करता है, वह भी अच्छा ही हो सकता है।

अपनी समग्रता में, मानवजाति बहुदेववादी है, क्योंकि कुछ लोग एक एकमेव ईश्वर में विश्वास करते हैं, कुछ भिन्न एकमेव ईश्वर में, कुछ अपवादों के साथ एक ईश्वर में, कुछ अनेक में तो, कुछ किसी में भी नहीं.....

हिन्दू विकल्प सर्वाधिक सहिष्णु है, मानवता की वास्तविक स्थिति के निकटतम है, और हरेक के अपने लगावों के समरस है।

रब्बी राची कहा करते थे कि "मुझे यह मत बताओ कि तुम किस में विश्वास करते हो, मुझे यह बताओ कि तुम कैसे जानते हो।"

सब कुछ में

नरेन्द्र के गुरु ने एक बार पूछा :

"गृहस्थ लोग उन लोगों की बुराई करते हैं जो स्वयं को ईश्वर को समर्पित कर देते हैं। जब कोई हाथी सड़क पर जाता है तो, कुत्ते भौंकते हुए उसके चारों ओर दौड़ पड़ते हैं, किन्तु वह इस तरह आगे बढ़ता जाता है मानो उसने उन्हें सुना ही न हो। मान लो लोग पीठ पीछे तुम्हारी बुराई करें तो, तुम क्या सोचोगे?"

"मैं सोचूँगा कि वे मेरे पीछे भौंक रहे छोटे-मोटे कुत्ते हैं।" नरेन्द्र ने उत्तर दिया।

"नहीं", श्रीरामकृष्ण ने हँसते हुए कहा, "तुम कोई हाथी नहीं हो। तुम जानते हो कि सभी चीजों में ईश्वर का वास है। अतः सभी चीजें—लोग, पशु, पौधे और खनिज— पूजा की वस्तु हो जानी चाहिए।"[48]

आर्य सत्य

क्या ईश्वर का अस्तित्व है? क्या उसका अस्तित्व नहीं है? महत्त्व इसका नहीं है! बुद्ध का उत्तर था कि महत्त्वपूर्ण यह है कि हर प्रकार के दुख पर विजय प्राप्त की जाए और यह जाना जाए कि वे किसमें निहित हैं। यही, शायद, प्रज्ञा है।

अपने प्रथम प्रवचन में, बुद्ध ने चार सम्यक्, उचित, शुद्ध, अपरिवर्तनीय, आर्य सत्यों के विषय में बताया। ये थे : दुख का सत्य, दुख का कारण, दुख का निरोध, और दुख के निरोध तक ले जाने का मार्ग। दुख क्या है? कष्ट, विपत्ति, पीड़ा, असन्तोष।

बोधि प्राप्त करने से पूर्व अनेक वर्षों तक, शाक्यमुनि, अर्थात् भावी बुद्ध, पांच संन्यासियों के साथ रहे और उन्होंने कठोर यातना और तप का अभ्यास किया। एक दिन, उनकी समझ में आ गया कि इससे उन्हें कुछ प्राप्त नहीं होने वाला, और उन्होंने वह सब त्याग दिया। उनके पाँच साथी संन्यासियों ने इस बात पर क्षुब्ध होकर उनका साथ छोड़ दिया।

कुछ समय बाद, शाक्यमुनि ने अन्य तरीकों से बोधि प्राप्त की। उन्हें अपने पाँच पूर्व साथी वाराणसी के निकट मृगदाव में मिले और उन्होंने उन्हें अपने 'मध्यमार्ग' के विषय में बताया, जो अतिशय स्व-पीड़न और अतिशय भोग-विलास से बचने की बात करता था। यह इन दोनों अतियों के बीच का मार्ग था। बुद्ध ने कहा कि "इस चार हाथ लम्बी काया में ही, इसकी संज्ञाओं और विचार के साथ, मैं संसार की, संसार की उत्पत्ति की, संसार के निरोध की, और संसार के निरोध की ओर ले जाने वाले मार्ग की घोषणा करता हूँ। मैं ईश्वर से कोई अपेक्षा नहीं करता, क्योंकि मुक्ति व्यक्ति के अन्दर ही है।" बुद्ध अपने धर्म को चार सिद्धान्तों पर आधारित किया जिन्हें "चार आर्य सत्य" कहा जाता है।"

जन्म दुख है, जरा दुख है, रोग दुख है, मरण दुख है; कष्ट, विलाप,पीड़ा, शोक और निराशा दुख है; अरुचिकर से मेल दुख है, रुचिकर से अलगाव दुख है; जो व्यक्ति चाहता है उसका न मिलना दुख है, संक्षेप में संयोग के पात्र पाँच स्कन्ध दुख हैं।

दुख का स्रोत यह तृष्णा है जो अस्तित्व और भाव के नवीकरण की ओर ले जाती है। इसके साथ आते है आनन्द और वासना, यहाँ वर्तमान में आनन्द

की खोज करना, अर्थात दैहिक सुखों की तृष्णा, अस्तित्व की तृष्णा,और अनस्तित्व की तृष्णा।

दुख के निरोध का आर्य सत्य यह है : यह उसी तृष्णा का पूर्ण निर्वाण और निरोध है, उसका त्याग और परिहार है, उससे मुक्ति है, उस पर निर्भर न करने की स्थिति है। दुख के निरोध की ओर ले जाने वाला मार्ग ''आर्य अष्टांगिक मार्ग'' है– सम्यक दृष्टि, सम्यक संकल्प, सम्यक वाणी, सम्यक कर्म, सम्यक आजीविका, सम्यक प्रयास, सम्यक स्मृति और सम्यक समाधि।

सम्यक दृष्टि का अर्थ है सान्सारिक उपादानों और विचारों की अनित्य और अपूर्ण प्रकृति को समझना।

सम्यक संकल्प का अर्थ है सम्यक दृष्टि के साथ मानसिक स्तर पर समरस होना।

सम्यक वाणी का अर्थ है सत्य बोलना, मित्रवत, स्नेहपूर्ण और सज्जन भाव से बोलना, और केवल आवश्यक होने पर ही बोलना।

सम्यक कर्म का अर्थ है दयापूर्वक और करुणापूर्वक कार्य करना, ईमानदार रहना, दूसरों की वस्तुओं का सम्मान करना, और ऐसे यौन सम्बन्ध बनाना जिनसे दूसरों को हानि न हो। इस तरह इसका अर्थ यह भी होता है कि सचेतन जीवों का अहित अथवा घात करने से बचो, जो तुम्हें नहीं दिया गया है उसे मत लो।

सम्यक आजीविका का अर्थ है कि व्यक्ति अपनी आजीविका इस प्रकार चलाए कि उससे दूसरों को हानि न हो जैसे-अस्त्र-शस्त्रों का व्यापार, जीवित प्राणियों का व्यापार, मांस बेचना और पशु-वध, नशीले पदार्थ और विष बेचना।

सम्यक प्रयास का अर्थ है इच्छा, ईर्ष्या, आक्रामकता, हिन्सा उत्पन्न करने वाली ऊर्जा को स्वानुशासन, सत्यनिष्ठा, उदारता और दयालुता में परिवर्तित कर देना।

सम्यक समाधि का अर्थ है एक मानसिक सामर्थ्य का विकास जिसे मन की एकाग्रता कहा जाता है, अर्थात् वह स्थिति जिसमें समस्त मानसिक शक्तियाँ एकीकृत और एक विषय विशेष की ओर निदेशित होती हैं।[49]

बुद्ध की देशना है : ''जिस भी वस्तु में उपस्थिति की प्रकृति होती है, उसमें निरोध की प्रकृति भी होती है।'' अतः हम इच्छा में ही इच्छाओं पर विजय के उपाय खोजते हैं। रति में ही विरक्ति का मूल निहित होता है। सन्सार और हम स्वयं इस बन्धन में आबद्ध हैं जो हमारे अन्दर ही मिलता है। अतः रूपांतरण का प्रारम्भ हमारे अपने अन्दर ही होता है।

भयानक चोर

"कृपा के लिए शुद्धता कोई पूर्वशर्त नहीं है। कृपा व्यक्ति के पुण्यों के कारण नहीं मिलती। निकृष्टतम पापियों को भी कृपा की प्राप्ति हुई है और वे शुद्ध और महिमावान हो गए है। जिन्हें कृपा प्राप्त होती है वे कभी यह नहीं सोचते कि वे उसके अधिकारी थे।"

—रामदास

बहुत समय पहले, भारत में, एक भयंकर चोर रहता था। आज भी लोग उसे अभी तक का सबसे भयानक दस्यु मानते हैं। वह चपल और चतुर, साहसी और निर्मम था। जब वह वाराणसी में देखा जाता था तो जयपुर या इस्लामाबाद में भी उसकी उपस्थिति दर्ज की जाती थी। हर कोई उससे ऐसे डरता था मानो वह कोई दैत्य हो। एक दिन ईश्वर ने भगवान शिव के रूप में प्रकट होकर उससे कहा :

"तुम अभी तक के सबसे बड़े दस्यु हो, तो तुम मुझे चुराने के विषय में कभी क्यों नहीं सोचते?"

ईश्वर सच में महानों में महानतम चोर है, क्योंकि वह आत्माओं को दिव्य आनन्द की स्थिति में ले जाता है।

तब उस दस्यु ने यह त्यागने का संकल्प किया। "मैं कोई दैत्य नहीं हूँ। मैं एक मनुष्य हूँ। मैं अपने पुराने रास्ते को छोड़ दूँगा और फिर कभी उनकी ओर लौटूँगा नहीं।" फिर वह भगवान शिव का सबसे बड़ा भक्त हो गया। आनन्दी गिरि माँ इस कथा को आगे बढ़ाती हुई कहती है : "कुछ भी कभी नियत, निर्धारित, अन्तिम, सदैव नहीं होता। दिव्य भाव आपको कभी भी पकड़ सकता है। उसके वशीभूत होने के लिए, कहीं दूर नहीं जाना, बस अपने अंदर बहुत गहरे उतरिए, बिलकुल तल तक, जहाँ आपने अभी तक नहीं देखा है। यहाँ कोई शैतान नहीं है। यदि आप दिव्य भाव के विषय में प्रचलित अथवा पूर्व संकल्पित विचारों से बँधे हैं तो, फिर आप अभी भी प्रकाश से दूर हैं, गंदले पानी में हैं। यह अत्यन्त निकट, अत्यन्त निकट है। हम समग्र और पूर्ण हैं। अपने अन्दर गहरे, और भी गहरे जाइए, और एक जगह आकर आपको ज्ञान होगा कि यह वहाँ है। यदि आप वहाँ पहुँचते हैं, तो आप इसे निश्चित देखेंगे। यहीं पकड़ता है आपको वह।"[50]

किसके जिम्मे?

जगत के प्रारम्भ से ही, ईश्वर ने स्वर्ग से नीचे देखने पर यह देख लिया था कि यह सृष्टि ठीक से नहीं चल रही। एक क्षण में ही ज्वालामुखी और भूकम्प जीवन की हजारों वर्षों की रचना को तहस-नहस कर देते हैं; ज्वार की लहरें हजारों प्राणियों को निगल जाती है; तूफान और झंझावात फसलों और बसेरों को उजाड़ देते हैं; रोग पूरी की पूरी आबादी का अन्त कर देते हैं; पशु एक-दूसरे को खा जाते हैं। आपदाएं और कष्ट समस्त जीवों को प्रभावित करते हैं। और मनुष्य एक-दूसरे को मारकर उनके कष्ट में और वृद्धि करते हैं।

"मैं क्या कर सकता हूँ?" ईश्वर ने स्वयं से प्रश्न किया। "क्या कर सकता हूँ मैं?"

तब उसे एक विचार आया।

ऊपर स्वर्ग से, ईश्वर ने प्रार्थना करनी प्रारम्भ की। उसने ज्वालामुखियों से, सागरों और महासागरों से, मेघों और रोगों से, पशुओं और मनुष्यों से, सबसे प्रार्थना की....एक या दो हजार वर्ष बीत जाने पर, ईश्वर ने देखा कि उसकी प्रार्थनाओं का कोई प्रभाव नहीं पड़ा है, और महाद्वीप वैसे ही खिसक रहे हैं और विनाशकारी भूकम्प ला रहे हैं, झंझावात वेसे ही ध्वंस कर रहे हैं, नदियाँ आप्लावित हो रही हैं, रोग बढ़ते ही जा रहे हैं, पशु एक दूसरे का भक्षण कर रहे हैं, और मनुष्य एक-दूसरे को मार रहे हैं। सब कुछ और सब कोई एक अज्ञात नियति की ओर जा रहा है, और ऐसा लगता था कि इस स्थिति को बदलने के लिए अधिक कुछ नहीं किया जा सकता। निकृष्टतम स्थिति यह थी कि ईश्वर जिनसे प्रार्थना कर रहा था, वे वस्तुतः ईश्वर से ही प्रार्थना कर रहे थे! कुछ मनुष्य उससे विनती कर रहे थे तो, कुछ उसे महिमामण्डित कर रहे थे। वे इतने तन्मय होकर प्रार्थना कर रहे थे कि उन्हें ईश्वर की प्रार्थनाएँ सुनाई ही नहीं दे रही थीं। अतः, कुछ समय तक प्रार्थना करने के उपरान्त और यह आभास हो जाने पर कि कोई उसकी प्रार्थनाएँ नहीं सुन रहा, ईश्वर ने समस्त मानव जाति और अन्य प्राणियों को एक बाढ़ में नष्ट कर दिया। बाढ़ ने समूची धरती को ढक लिया, और एक ही दिन में इतनी पीड़ा पहुँचाई जितनी पृथ्वी की समस्त व्याधियों ने शताब्दियों में भी नहीं पहुँचाई थी। कुछ मनुष्य, उनके परिवार और कुछ पशु इस आपदा से बच निकलने में सफल

रहे और उन्होंने संसार को फिर से बसाया। फिर भी,वास्तव में कुछ नहीं बदला था।

अतः ईश्वर इस समझ पर पहुँचा कि उसे ऐसे ही छोड़ देना होगा। यह निश्चय करके उसने एक अन्तिम बार नीचे धरती को देखा, और उसे एक और विचार आयाः "मैं मनुष्यों को प्रेरित करूँगा कि वे प्रज्ञावान और संदेही बनें। तब यह होगा कि जब-जब उन पर विपत्तियाँ आएँगी, उन्हें यह स्मरण हो आएगा कि मैं अशक्त हूँ। और उनकी समझ में आ जाएगा कि वे अपने किए अच्छे-बुरे के लिए स्वयं उत्तरदायी हैं, भले ही उन पर पड़ने वाली विपत्तियों में उनका कोई दोष न हो।"

किन्तु बहुत कम मनुष्यों को प्रज्ञा का दान मिला। अधिकांश तो यह समझने को तैयार ही नहीं हुए कि ईश्वर अशक्त है और मुख्य उद्देश्य है कष्टों-दुखों में और वृद्धि न करना। उन्होंने ऐसे धर्मों की घोषणा की जिनके अनुसार विपत्तियाँ ईश्वर की ओर से दिया गया दण्ड हैं। उन्होंने यह भी घोषणा की कि ईश्वर को क्या-क्या चाहिए, उसने क्या आज्ञाएँ दी हैं, यदि लोगों ने यह नहीं किया तो वह क्या करेगा, जो आज्ञा नहीं मानेंगे वह उन्हें कैसे दंडित करेगा, और पवित्रजन उन लोगों को कैसे दंडित करेंगे जो इन बातों में विश्वास नहीं करते।

लोग उन अविवेकपूर्ण स्वप्नों के माध्यम से जीवन की असुरक्षाओं और खतरों से बचने का प्रयास कर रहे थे जो और भी अधिक भयावह थे।

अतः उन्होंने ईश्वर को जो भी नाम दिया था उसी के नाम पर लोगों को धर्मांतरित करना या मारना शुरू कर दिया!

इस प्रकार शताब्दियाँ बीत गईं।

ईश्वर ने स्वयं को इस जगत और इसकी अशान्ति से अलग कर लिया। उसने प्रण किया कि वह फिर कभी किसी को, कहीं भी दर्शन नहीं देगा।

"शायद एक दिन वे मुझसे प्रार्थना करना बन्द कर दें और एक-दूसरे से प्रार्थना करने लगें।"

अध्ययन

यहूदी धर्म सिखाया नहीं जाता। यह तो ग्रन्थों के अध्ययन के माध्यम से प्रश्न करने की क्रिया है। अध्ययन का अर्थ है प्रश्न करने का अभ्यास। इससे अनुसन्धान के मार्ग खुलते हैं और उससे नए-नए अनन्त मार्ग खुलते हैं। इस प्रकार, अनन्त तो अध्ययन में निहित होता है फिर भी यह किसी भी प्रकार इससे मर्यादित नहीं होता।

रब्बी गण तर्क देते हैं कि "ईश्वर ने तो हमें पवित्र ग्रन्थ दे दिया और इसलिए यह अब उसका नहीं रहा। इसका अर्थ यह हुआ कि सभी को इससे पढ़ने की, इसका अध्ययन करने की, इसे समझने की, और इससे तर्क-वितर्क करने की छूट है। और इस बात की भी छूट है कि यह समझे कि यह क्या कहता है और क्या नहीं कहता। दाऊद ने कहा था, "एलोहीम (ईश्वर) ने एक बार कहा, किन्तु दो बार मैंने सुना।" यह दूसरी बार सुनना ही अध्ययन करना है। रब्बी सिमियन ने कहा था, "देखो! अंधकार तो पवित्र ग्रन्थ (लिखित शब्दों) की काली स्याही है किन्तु प्रकाश तो पृष्ठ के सफेद स्थानों में है (जो अक्षरों के बीच है)। फिर से अध्ययन करो।"

शिष्य ने रब्बी आइज़क से पूछा, "ईश्वर क्या मनुष्य के भीतर नहीं है?"

"ईश्वर भीतर अथवा बाहर है, किन्तु वह भीतर भी है और बाहर भी, और फिर भी वह न तो भीतर है और न ही बाहर। तो वह कहाँ है?"

जब शिष्य ने उत्तर नहीं दिया तो, रब्बी ने आगे कहा : "यह रहस्य का खेल है।"

शिष्य चुप रहा तो, रब्बी ने कहा :

"ईश्वर स्वयं रहस्य के खेल में है। वह उन प्रश्नों के केन्द्र में वास करता है जिन्हें हम पूछते हैं, जिसे हम नहीं जानते; वह हमारे उत्तरों में वास नहीं करता।"

रब्बी आइज़क ने किताबों की अलमारी से तालमद (यहूदी संहिता) निकाली, और उसे खोलकर कहा :

"लो, इस रहस्य को देखो। Treaty Haguiga में इस पद पर ध्यान केंद्रित करता है : "दिनों के विषय में उस दिन से प्रश्न करो जिस दिन ईश्वर ने पृथ्वी पर मनुष्य को बनाया था।" यह क्यों लिखा है कि "उस दिन से?" हमें केवल

तब से प्रश्न क्यों करना चाहिए जब ईश्वर ने पृथ्वी पर मनुष्य को बनाया था?" इसलिए हमारे पास यह असाधारण टिप्पणी है : "जो व्यक्ति जो कुछ ऊपर, नीचे पहले और बाद में है उसके रहस्य को खोलने का प्रयास करता है, उसके लिए तो यही बेहतर होता कि उसे कभी बनाया ही नहीं गया होता।"

जो निषिद्ध है वह सदा उसे भी इंगित करता है जिसकी छूट है और इसलिए उसका उपयोग इस निमित्त होता है कि कहाँ तलाश की जाए, किन्तु यह खोजी की अपनी जिम्मेदारी है कि वह उस उत्तर तक स्वयं अपना मार्ग तय करे जो एक प्रश्न भी होगा। यदि उसके विषय में प्रश्न करने की मनाही है जो "ऊपर नीचे, पहले और बाद में" है तो, इनके बीच में प्रश्न और खोज करने की छूट है। इसके अतिरिक्त और क्या है?

शिष्य ने एक छोटा-सा रेखांकन बनाया। उसने एक बिन्दु बनाया, उसके नीचे एक और बिन्दु बनाया, पहले दो बिन्दुओं के बीच दाहिनी ओर एक बिन्दु बनाया और बाईं ओर एक चौथा बिन्दु बनाया।

"ऊपर, नीचे, पहले और बाद में के बीच...क्या है?" उसने पूछा।

"यह आपको बताना है।"

"मैं प्रयास कर रहा हूँ..."

"बहुत अच्छा! तुम यह पहले ही जान गए हो कि महत्त्वपूर्ण है ढूँढ़ना! केन्द्र में क्या है?" रब्बी ने पूछा।

केन्द्र में, शिष्य ने एक प्रश्न चिह्न बना दिया।

उसने कहा, "केन्द्र एक प्रश्न चिह्न है।"

रब्बी मुस्करा दिए।

"बिल्कुल सही। तुम केन्द्र में "मुझे" भी रख सकते थे... या "मैं' या ईश्वर को भी, या वर्तमान को, या पवित्र ग्रन्थ को, या एक गुलाबी हाथी को भी, या तुम एक रिक्त स्थान छोड़ सकते थे...बशर्ते कि इससे तुम्हें मनुष्य अथवा ईश्वर पर चिन्तन की प्रेरणा मिलती हो।"

जो मनुष्य को रचता है और उसे स्वयं से आगे निकल जाने और इस प्रकार मानव-अवस्था के परे पहुँच जाने को प्रेरित करता है, ये उसके प्रश्न हैं। वे उसे उसके बहुत पूर्व के पूर्वजों से भी और अनन्त से भी जोड़ते हैं। जो उत्तर देने का जोखिम हम उठाते हैं और जो कभी-कभी धर्मों के उद्‌भव का कारण बनते हैं वे अकथनीय के आलोक में सर्वथा अमहत्वपूर्ण होते हैं।

अपने ऊपर, नीचे, पहले या बाद में मत खोजो, अपने भीतर झांको। वहाँ पहुँचकर प्रश्नों की, अपने स्वयं के प्रश्नों की खोज करो, उत्तरों की नहीं। और जब तुम्हें लगे कि तुम्हें उत्तर मिल गया है तो, याद रखना कि किसी एक प्रश्न के सत्तर से कम उत्तर नहीं हैं। सत्तर उत्तर, जिसका मतलब है कि खोजने की क्रिया

अनन्त है। खोजना स्वयं अनन्त की स्थिति है।''

और अन्त में :

''यदि सारे उत्तर ज्ञात होते तो, हम उनके बन्दी होते, और हम उनके अधीन ही रहते। जीवन का रहस्य, अर्थ की उसकी आवश्यकता और ईश्वर की भ्रान्ति ये सब हमें स्वतन्त्रता देते हैं। इस प्रकार, रहस्यों का अवलोकन करने से यह जो स्वतन्त्रता प्राप्त की जा सकती है, उसका अभ्यास अध्ययन और प्रश्न करने के माध्यम से किया जा सकता है....''[51]

हो-न हो

दो तालमदी सम्प्रदाय ढाई वर्ष तक इस प्रश्न पर लड़ते रहे कि "क्या जन्म न लेना अधिक अच्छा होता? या जीवित होना जीवों के लिए वरदान है?'

फिर ढाई वर्ष चले तर्क-वितर्क के पश्चात, उन्होंने मतदान किया। जीत रब्बी चम्माई के सम्प्रदाय की हुई। परम्रा में इस टिप्पणी का उल्लेख है : "अधिक अच्छा होता कि मनुष्य जन्म ही न लेता, किन्तु क्योंकि उसने जन्म लिया है, इसलिए उसे स्व-परीक्षण करते रहना चाहिए, अपने कर्मों के अर्थ पर प्रश्न करते रहना चाहिए, स्वयं में सही मार्ग को खोजते रहना चाहिए।"

"अस्तित्व सम्बन्धी एक मूल प्रश्न का उत्तर देने के लिए, कि "जीवन क्यों हैं?" अथवा "क्या जन्म लेना अधिक अच्छा है?" रब्बी लोग हरेक को बाध्य करते है कि वे अपने अन्दर झाँके", यह टिप्पणी थी रब्बी आइजक की।

"अपने स्वयं के कर्मों के अर्थ पर प्रश्न करना, यह एक प्रयास है उनके पीछे की प्रेरणाओं को या एकमात्र अंतर्निहित प्रेरणा को देखने का। स्वयं अपने भीतर किसी कर्म का मूल तलाशने से, इच्छा को देखने से, और फिर नीचे उस प्रेरक को देखने से, जिसने इसके विचार, इसकी जरूरत या इसकी आवश्यकता को प्रेरित किया; इस आत्मनिरीक्षण में एक व्यक्तिगत और सार्वभौमिक उत्तर उजागर होता है : मैं जीना चाहता हूँ। मेरे किन्हीं भी कार्यों का मूल, कर्म चाहे जो भी हो, सदा इसे उजागर करता है। वे चाहे जो भी रूप धारण कर लें, मुझमें सदा 'होने' की चिन्ता और जीने की चिन्ता ही क्रियाशील होती हैं। इसे देखकर और यह समझकर ही कि 'स्वयं के जीवन संवेग के रक्षक और स्रष्टा के रूप में आप ही जिम्मेदार हैं, आप अपने अस्तित्व का अनुमोदन करते हैं, यह मार्ग आप पकड़ सकते हैं, आध्यात्मिक प्रगति का यह एक सम्भाव्य साधन है।

हो सकता है ईश्वर ने जीवन की रचना की, किन्तु क्या उसे आभास था कि यदि मनुष्यों को जीना हुआ तो वे जीवन को चाहने लग जाएंगे और नई-नई इच्छाएं उत्पन्न करके वे स्वयं को खो बैठेंगे?

इस प्रकार जो कहानी लिखी जा रही है, वह एक प्रेम कहानी-सी प्रतीत होती है। असीम और समीम, स्रष्टा और जीव, परम और सापेक्ष एक-दूसरे की तलाश में हैं, किन्तु एक-दूसरे तक पहुँचने की प्रक्रिया में वे कितने ही मार्ग पकड़ते बदलते

हैं। मनुष्य के हृदय में विद्यमान शाश्वत ईश्वर प्रेम में प्रतीक्षा करता रहता है जबकि मनुष्य इच्छाओं की पूर्ति के प्रयास में अपने मार्ग से भटक जाता है। एक दिन, मनुष्य को समझ में आता है कि प्रेम तो आधार है, कोई सम्बन्ध नहीं हैः यह किसी वस्तु को प्रेम करना नहीं है, अपितु यह तो वह तथ्य है कि सब कुछ प्रेम है। तब, इच्छा और प्रेम का मिलन होता है, और उस मेल में ईश्वर स्वयं को प्रकट करता है।

ईश्वर के भय का यही अर्थ है : उस आशीष और भंगुर सौन्दर्य को देखना जिसे हम भय कहते हैं....उनसे एक क्षण के लिए भी अलग होने का भय। कृपा की अवस्था।

अधिक अच्छा होता कि मनुष्य जन्म ही न लेता, किन्तु क्योंकि उसने जन्म लिया है तो, "उसे लेने, न लेने, इच्छा, और प्रेम का अर्थ खोजना चाहिए।"[52]

"अपनी एक आत्मा होने और मात्र इस आत्मा में ही अमर होने की इच्छा विशेषकर तब धूमिल हो जाती है जब उसकी तुलना आत्मा की उस इच्छा से की जाती है कि उसकी अपनी एक काया हो, और एक अवधि हो। उसके लिए वह अपना राज्य त्याग देगी।"[53]

मनुष्य में ऐसा क्या है जो ईश्वर में नहीं है?

कार्ल गुस्ताव युंग के अनुसार, यदि ईश्वर सर्वशक्तिमान है तो, उसके पास किसी भी वस्तु के प्रति सचेत होने का कोई साधन नहीं है, अपने प्रति भी नहीं! क्योंकि सचेतनता तो टकराव से आती है। अपनी सर्वशक्तिमानता के कारण, "ईश्वर को ऐसी किसी अजेय बाधा का सामना नहीं करना पड़ता जिसके रहते उसे हिचकिचाना पड़े और स्वयं पर चिंतन करना पड़े...."[54]

एक व्यक्ति ईश्वर के विषय में चिंतन कर रहा था: "सर्वशक्तिमान को कुछ रचने की इच्छा, या आवश्यकता ही क्यों हुई? क्या किसी असीम, सर्वसमावेशी, सर्वशक्तिमान, सर्वज्ञ सत्ता के लिए यह सम्भव है कि उसे कोई आवश्यकता हो?

यदि उसमें इच्छा थी तो, हमें यह मानना होगा कि कुछ न कुछ तो कमी थी। यह कैसे हो सकता है कि जिसमें समग्र का समावेश है, उसमें कोई कमी हो? यह सृष्टि, और इसमें विद्यमान मनुष्य उस ईश्वर के किस काम आ सकते हैं जिसके पास पहले ही सब कुछ है? उनसे क्या उद्देश्य हल हो सकता है?

यह व्यक्ति विशेष इस प्रकार सोच रहा था। उसके प्रश्नों का अन्ततः यह निष्कर्ष निकला कि ईश्वर के बारे में मनुष्य की धारणाएं या तो बेतुकी, अपरिपक्व या बचकानी थीं। किन्तु उसे अन्य कोई धारणा नहीं मिल सकी।

एक दिन फिर से चिन्तन प्रारम्भ करने पर, उसने इस समस्या को उलट दिया। "ईश्वर की प्रतिष्ठा बढ़ाने के लिए, मनुष्य अपने आपको कम करके आँकता है और अपने गुणों को नहीं पहचानता। मनुष्य तो ईश्वर से श्रेष्ठतर हो सकता है। यदि ईश्वर के लिए मनुष्य का कोई महत्त्व है तो, उसकी सृष्टि का औचित्य है।" इस प्रकार उसने स्वयं से एक नया प्रश्न किया : "मनुष्य में ऐसा क्या है जो ईश्वर में नहीं है?"

उस व्यक्ति विशेष ने कुछ समय तक उस पर ध्यान किया। उसने सोचा: मनुष्य के पास काया है। ईश्वर के पास नहीं है। किन्तु मनुष्य की काया, अपने रुझानों, गुणों, कार्यों, और सीमाओं के माध्यम से, उसे सृष्टि का आनन्द लेने, उसका स्वाद लेने, और उसकी अनुभूति करने की योग्यता देती है। अपने से इतर के साथ व्यवहार करने में उसका टकराव उन बाधाओं से होता है जो उसमें आत्म-चिन्तन

की कतिप्रय क्षमता उत्पन्न करती हैं। वह अपने अनुभवों में गुण ढूँढ़ सकता है: रुचिकर अथवा अरुचिकर, उत्तम अथवा अनुत्तम, मधुर अथवा कट, और उसकी आत्मपरकता की सूक्ष्मता असीम होती है।

काया के अभाव में स्रष्टा के पास सृष्टि को जानने का कोई साधन नहीं है। किन्तु अपने ही अंश अर्थात् मनुष्य के माध्यम से उसे पाँच इंद्रियाँ उपलब्ध हैं जिनसे वह अनुभूति कर सकता है, उसकी बुद्धि से वह समझ सकता है और अर्थवत्ता दे सकता है, और उसकी एक 'आत्मिक साँस' है जिससे वह ईश्वर को जान सकता है। इस प्रकार मनुष्य के माध्यम से, ईश्वर अपनी सृष्टि को जान सकता है, और स्वयं को जान सकता है।

ईश्वर की छवि में, मनुष्य ईश्वर को परिलक्षित करता है, यह उस व्यक्ति विशेष का निष्कर्ष था।

"मैं एक गुप्त खजाना था जो ज्ञात होना चाहता था, इसलिए मैंने सृष्टि की रचना की ताकि मैं इसे जान सकूँ (या स्वयं को जान सकूँ...)" (हदीस कुदसी, 19) इस हदीस के प्रत्येक शब्द के गुप्त अर्थ अपने आप में एक खजाना हैं।[55]

दिव्य 'हम' हैं

एक बार हमने की आनन्द गिरि माँ से पूछा : "जब आप ईश्वर की बात करती हैं तो, आप किस विषय में बात कर रही होती हैं?"

"दिव्य (सत्ता) एक 'हम' है, वह 'हम' है", गिरि माँ ने कहा। संस्कृत में अहम् सर्वोच्च 'मैं' उत्कृष्ट 'मैं' होता है, जिसमें एक अविभाज्य इकाई में विद्यमान सर्वस्व सम्मिलित होता है। अहंकार वह 'मैं' हैं जो क्रिया करता है, कार्य-कारण का उद्‌भव करता है, और एक लघुतर 'मैं' का, 'हम्-नहीं' का सृजन करता है। अहंकार एक पृथक 'मैं' का सृजन करता है। यह इस अलगाव का निर्माण करता है।

माँ का अर्थ संस्कृत में होता है माता, अर्थात् सर्वस्व का मूल। विश्व माँ है। और मा का अर्थ माप भी होता है। माप ही विश्व है। माया का आशय है माप को खो देना। वास्तविक व्यक्ति स्वयं विश्व है, जो कोई स्वयं को विश्व से लघुतर व्यक्ति समझता है। वह पृथकता की माया में, भ्रम में, रहता है। उसने माप को, अपने मूल को, खो दिया है। खुलने का अर्थ होता है यह समझना कि यह पृथकता भ्रम है। इस परिप्रेक्ष्य से, कुछ भी सम्भव है।

यह दिव्य आप में है, प्रत्येक वस्तु के प्रति आपके अपने खुलेपन में है, न उससे अधिक और न उससे कम। यदि यही आपकी मनोवृत्ति है तो, निश्चय ही आप 'वह' हैं और वह 'आप'। और तब समस्त संसार यह संदेश देता है कि प्रत्येक वस्तु में किसे प्रेम किया जाए, वहाँ क्या कुछ है। इसका कोई अपवाद नहीं है, प्रत्येक वस्तु यह सन्देश देती है, बस आप उसे देखना तो स्वीकार करें। प्रेम की परिधि में अन्य कोई सम्भावना है ही नहीं। सब कुछ एक संदेश हो जाता है...प्रियतम का।

करने को और कुछ नहीं बस इतना है कि एक क्षण से दूसरे क्षण तक चीजों की गति को पूर्ण किया जाए। पूर्ण करने से आशय यह है कि आप इसमें जो भी जोड़ सकते हैं जोड़ें। यह जो भी है, आप जान जाएंगे। आप जितने शान्त होंगे, उतना ही यह स्पष्ट होगा कि आप क्या कर सकते हैं। पूर्वानुमान का प्रयास न करें। शान्ति को अपनी ओर आने दें। इसे अपने अन्दर प्रवेश करने दें, इसमें कुछ भरें नहीं।"[56]

क्या आप पानी पर चल सकते हैं? यदि हाँ तो आप तिनके से बेहतर नहीं हैं। क्या आप हवा में उड़ सकते हैं? यदि हाँ तो आप मक्खी से बेहतर नहीं है।'' जब आप अपने दिन के मालिक होते हैं, तभी आप सचमुच कुछ बन सकते हैं।'

-अंसारी ऑफ हेरात

मुझे ईश्वर के दर्शन कराएँ

एक बार की बात है। स्वामी राम जब अभी शिष्य ही थे तो, एक सुबह वह दौड़े-दौड़े अपने गुरु के पास पहुँचे और कहने लगे :

"मैं ईश्वर को देखना चाहता हूँ! मुझे ईश्वर के दर्शन कराएँ!"

"ठीक है, ठीक है!" उनके गुरु ने शांति से कहा। "कल मैं तुम्हें ईश्वर के दर्शन कराऊँगा।'

स्वामी राम अगले दिन फिर वहाँ गए।

"आपने मुझे ईश्वर के दर्शन कराने का वचन दिया था।" "पहले यह बताओ, तुम कौन-से ईश्वर के दर्शन करना चाहते हो? तुम कौन-सी किस्म के ईश्वर से मिलना चाहते हो?"

"ऐसे क्या अनेक किस्म के ईश्वर हैं?"

"हर कोई ईश्वर को देखना चाहता है। किन्तु पहले तुम्हें इस विषय में गहनता से विचार करना होगा और ईश्वर के विषय में अपने मन और हृदय में एक दृढ़ विश्वास धारण करना होगा। तुम ईश्वर को किस प्रकार परिभाषित करते हो? तुम उसकी क्या संकल्पना करते हो? यदि तुम ईश्वर को ढूँढ रहे हो और तुम स्वयं में निश्चित नहीं हो कि तुम्हें तलाश किस की है तो, तुम ढूँढ़ोगे क्या? यदि मैं तुमसे कहूँ कि तुम जो कुछ भी देखते हो वह ईश्वर है तो, तुम उत्तर दोगे कि नहीं, यह या वह ईश्वर नहीं है। यदि मैं तुमसे कहूँ कि ईश्वर तुम में हैं तो, तुम्हें सन्तुष्टि नहीं होगी क्योंकि इस समय तुम इसे इस प्रकार नहीं देखते। और यदि ईश्वर यहाँ एक चिह्न के रूप में या एक पशु या मनुष्य के रूप में प्रकट हो जाए, तब भी तुम्हारे सन्देह बने ही रहेंगे। मुझे यह बताओ कि तुम क्या अपेक्षा करते हो कि ईश्वर कैसा है और मैं तुम्हें उस ईश्वर के दर्शन करा दूँगा। मैं तुम्हें ठीक तुम्हारी परिभाषा और विश्वास के अनुसार ही ईश्वर के दर्शन कराऊँगा।'

"मैं इस विषय में सोचूँगा", स्वामी राम ने कहा।

"लेकिन सावधान"! उनके गुरु ने आगे कहा, "ईश्वर हमारी मानसिक शक्तियों से परे है। वह सत्य की अन्तः प्रज्ञा में प्रकट होता है। जाओ जाकर ध्यान-साधना करो और जब तुम तैयार हो जाओ तो, मुझसे आकर मिलना।"

स्वामी राम हमें बताते हैं : "तब मैंने कल्पना करने का प्रयास किया कि

ईश्वर कैसा दिखता होगा, किन्तु मेरी कल्पना एक रूप से आगे नहीं बढ़ पाई—चाहे वह पशु रूप हो, मानव-रूप हो, या ब्रह्माण्ड-रूप। प्रायः मेरे मानस में एक वृद्ध, प्रज्ञावान, सशक्त, और उदार पुरुष की छवि उभरती और शीघ्र ही मेरी समझ में आ गया कि मेरा आग्रह कितना अपरिपक्व था। अंततः, मैं अपने गुरु के पास वापस गया और बोला :

"मुझे वह ईश्वर दिखाएँ जो हमें दुख से मुक्त कर सकता और हमें सुख दे सकता है।"

"यह तो शान्ति और समचित्तता की अवस्था है जो हर किसी को स्वयं अपने प्रयास से प्राप्त करनी होती है! मैंने तुम्हें पहले ही बता दिया न कि किस प्रकार?"

"तो फिर मुझे उस ईश्वर के दर्शन कराएँ जिसे सन्त लोग तब देखते हैं जब वे उसका आवाहन करते हैं।"

"ठीक है, यह कहानी सुनो", इसके माध्यम से ईश्वर तुम्हें दर्शन देगा:

मालीदास एक ग्वाला था जो वाराणसी के निकट रहता था। सुबह के समय वह अपने मवेशियों को उस पगडंडी से होकर चारागाह ले जाता जो गंगा के सहारे-सहारे बनी हैं, और संध्या के समय वह उन्हें वापस ले आता था। वह अनपढ़, अबोध और किन्चित सरल था।

एक दिन, उसने एक ब्राह्मण स्वामी प्रकाश पर कुछ अधिक ही ध्यान दिया जो गंगा तट पर आचमन आदि करते थे। स्वामी नदी तट पर बैठकर प्रार्थना और प्राणायाम करने लगे। जब वह जाने लगे तो, मालीदास ने उनके चरणों पर अपना शीश नवाकर उनसे दीक्षा का आग्रह किया।

"तुम अनपढ़ हो, तुम नहीं समझोगे! मुझे जाने दो," स्वामी प्रकाश ने उत्तर दिया।

"ठीक है, किन्तु कम से कम इस प्रश्न का तो उत्तर दें : आपने अपनी नाक क्यों पकड़ी?"

"नाक पकड़ने और साँस रोकने से, हमारा मन अधिक आसानी से एकाग्र हो सकता है। एकाग्रता (समाधि) के माध्यम से हम ईश्वर को देख सकते हैं।"

मालीदास ने स्वामी प्रकाश को जाने दिया। किन्तु उस दिन से, उसने उन्हें अपना गुरु मान लिया। उसने नदी में स्नान किया और फिर तट पर बैठकर अपनी नाक पकड़ उसने श्वास रोका। एक मिनट बाद वह चिन्ता करने लगा : "ईश्वर तो अभी तक आया नहीं; शायद वह व्यस्त है?" किन्तु, वह फिर भी अपनी साँस और नाक बंद किए रहा, किन्तु एक मिनट बाद ईश्वर फिर भी प्रकट नहीं हुआ और मालीदास का दम घुटने लगा। फिर भी वह दृढ़ बना रहा। एक मिनट और बीत गया और वह अचेत होने को हुआ.... उसी क्षण मालीदास के समक्ष विष्णु

देव प्रकट हुए। उनकी चार भुजाएँ थीं, वह रेशमी जरी के वस्त्र पहने थे और उनके मुख पर आभा मंडल था।

"मैं ईश्वर हूँ" विष्णु ने कहा। "तुमने मुझे पुकारा"

"मुझे कैसे विश्वास हो कि आप ईश्वर हैं?" मालीदास ने उत्तर दिया। "मुझे अपने गुरु को बुलाना होगा। यदि उन्होंने कहा कि आप ईश्वर हैं तो, मैं संतुष्ट हो जाऊँगा।"

"ठीक है, बुलाओ उन्हें।"

"किन्तु जब तक मैं लौटूँगा तब तक तो आप जा चुकेंगे।"

"नहीं, मैं यही रूकूँगा", विष्णु ने वचन दिया।

"किंतु मैं आप पर विश्वास कैसे करूं?"

मालीदास ने अपनी एक गाय के गले से रस्सी खोली और विष्णु को एक वृक्ष से बाँध दिया। फिर वह स्वामी प्रकाश की खोज में दौड़ पड़ा।

स्वामी प्रकाश उसे शीघ्र ही मिल गए अैर उनके लाख मना करने के बाद भी मालीदस उन्हें वहाँ ले गया। सच था, स्वामी प्रकाश को कुछ नहीं दिखाई दिया, किन्तु अपने टेढ़े शिष्य से पीछा छुड़ाने के लिए उन्होंने मान लिया कि विष्णु सचमुच वहाँ उनके समक्ष थे, और फिर वह चले गए।

तब, विष्णु ने मालीदास की एक मनोकामना पूरी की। उसकी मनोकामना थी कि "जब मैं साँस लेनी बन्द करूँ और अपनी नाक पकड़ूँ तो, आप तुरन्त प्रकट होंगे। आप, आज की तरह, विलम्ब नहीं करेंगे।"

विष्णु मान गए।

समय बीत गया और कुछ समय बाद मालीदास एक सन्त के रूप में प्रतिष्ठित हो गया। समय-समय पर वह विष्णु का आवाहन करता और विष्णु उसके समक्ष प्रकट होते थे।

एक दिन, स्वामी प्रकाश उस ओर गंगा तट पर लौटे। मालीदास दौड़कर उनके पास पहुँचा और बार-बार उनके चरणों पर नत होकर उनका आभार प्रकट किया कि उन्होंने उसे ईश्वर के दर्शन का सही मार्ग दिखाया था। ब्राह्मण स्वामी की कुछ समझ में नहीं आया तो, मालीदास ने उन्हें बताया कि पिछली बार जब वे मिले थे तो, जब विष्णु के दर्शन की उसकी इच्छा होती थी तो साँस रोकने और नाक बन्द कर लेने पर विष्णु तुरन्त प्रकट हो जाते थे। स्वामी प्रकाश की समझ में आ गया कि उनका शिष्य ईश्वर के अधिक निकट था, जबकि हर निर्धारित कर्मकाण्ड करने और अपनी जातिगत शुद्धता से पूर्व ग्रहग्रस्त होने पर भी वह कभी इतने निकट नहीं हो पाया था। स्वामी ने अपने शिष्य के चरणों पर दण्डवत् नमन किया और उससे अपने हृदय को शुद्ध करने और ईश्वर के दर्शन करने के लिए निर्देश लिए।

मालीदास ने उसे ग्वाला बन जाने और पूरे एक वर्ष तक अनवरत प्रार्थना करने का आदेश दिया।

''एक वर्ष में, यदि आप अपने क्रोध को अपने अभिमान और स्वार्थीपन को वश में कर लेते हैं तो, स्नान करने के बाद मेरे पास आएं।''

एक वर्ष उपरान्त, मालीदास ने अपने पड़ोसी से कहा कि जब स्वामी प्रकाश स्नान कर चुकें तो उन पर मिट्टी डाल देना।

उस व्यक्ति ने वैसा ही किया और स्वामी प्रकाश क्रोध में पागल हो गए। वह उस व्यक्ति को मारने उसके पीछे भागे। फिर उन्होंने एक बार और स्नान किया और मालीदास के पास पहुँचे :

''एक वर्ष व्यतीत हो गया, गुरु जी। अब तो मैं ईश्वर के दर्शन कर सकता हूँ?''

''आपका हृदय शुद्ध नहीं है। क्रोध उसे कभी भी वश में कर सकता है। अपनी गायों की देखभाल करें और एक वर्ष और अनवरत प्रार्थना करें'', मालीदास ने स्वामी प्रकाश को आदेश दिया और उन्होंने उसका पालन किया।

जिस दिन दूसरा वर्ष समाप्त हुआ, मालीदास ने अपने पड़ोसी से कहा कि जब स्वामी प्रकाश नहा चुकें तो उन पर थोड़ी मिट्टी डाल देना। इस बार ब्राह्मण स्वामी प्रकाश उस व्यक्ति के पीछे भागे तो नहीं किन्तु उसे खूब गालियाँ दी और फिर दोबारा स्नान कर मालीदास से मिलने आ पहुँचे।

''आपका हृदय अभी भी शुद्ध नहीं है। क्रोध, एक सर्प के समान, अभी भी इसमें वास करता है, और झपटपने को तैयार बैठा है। एक वर्ष और अभ्यास करें।''

ब्राह्मण ने वैसा ही किया। जिस दिन तीसरा वर्ष समाप्त हुआ, मालीदास ने अपने पड़ोसी से कहा कि जब स्वामी प्रकाश नहा चुकें तो उन पर मिट्टी फेंक देना। इस बार स्वामी प्रकाश ने समझ लिया कि यह व्यक्ति ईश्वर का साक्षात रूप है जो क्रोध को वश में करने में उनकी सहायता कर रहा है। उन्होंने उस व्यक्ति के चरणों में दंडवत नमन किया और उसका आभार व्यक्त किया, और फिर अपने गुरु से मिलने चले गए।

''अब आपने ईश्वर को देख लिया है,'' मालीदास ने कहा। ''आपको मेरी आवश्यकता नहीं है।''

और स्वामी राम की समझ में आ गया कि कोई व्यक्ति किसी अन्य से नहीं कह सकता कि वह उसे ईश्वर के दर्शन कराए।

शिष्य अपनी अज्ञान और अपरिपक्वता की स्थिति में यह विश्वास करता है कि ईश्वर कोई विशिष्ट सत्ता है जिसमें शक्ति और उदारता जैसे विशेष गुण हैं, अथवा वह बल है जो विश्व को प्रकट करता है, वह प्रेम का स्रोत, परम सत्य,

वास्तविक स्व है समस्त वस्तुओं का...किन्तु जब उसकी समझ में आ जाता है कि जिस ईश्वर की वह कामना करता है और जिससे वह भेंट करना चाहता है वह आवश्यक रूप में स्वयं के भीतर है, उसके विश्वास में कहीं छिपा है, तब उसे ज्ञान होता है कि कोई व्यक्ति किसी और को ईश्वर के दर्शन नहीं करवा सकता।[57]

ताओ

कुछ था अरूप
और परिपूर्ण
स्वर्ग और पृथ्वी की उत्पत्ति से पहले।
यह सौम्य है। रिक्त।
कारणहीन। अपरिवर्तनशील।
असीम। शाश्वत रूप में विद्यमान।
यह हो सकती है जगत की मां।
उसका नाम न जानते हुए, मैं इसे कहता हूँ ताओ।
किसी उत्तमतर शब्द के अभाव में, मैं इसे कहता हूँ महान।

देखो, और इसे देख नहीं सकते।
सुनो, और इसे सुन नहीं सकते।
पहुँचो, और इसे पकड़ नहीं सकते।
ये तीन गुण जिनका सार है अबूझ घुल-मिल जाते हैं एकत्व में।

ऊपर, यह नहीं है देदीप्यमान। नीचे, यह नहीं है अंधकारमय।
सीमांतरहित, अनाम, वह लौट जाता है शून्य लोक में।
अरूप का रूप,
छविहीन छवि,
सूक्ष्म, संकल्पना से इतर।
इसकी ओर जाने पर नहीं दिखता इसका आरम्भ बिन्दु; इसके पीछे जाने पर नहीं दिखेगा कहाँ होता है यह समाप्त।[58]

एकत्व

वह उस एक के साथ एकीकृत था। वह समस्त जीवों के साथ एकीकृत था, मानो प्रत्येक वस्तु के केन्द्र से एक रेशमी धागे से जुड़ा हो। जब वह किसी शिला पर बैठ ध्यान लगाता था तो, काई उसके वस्त्र को कुतरती थीं। जब वह किसी पुष्प पर बैठ ध्यान लगाता तो, मधु मक्खियाँ उसके केश में पराग कण छोड़ देती थीं। जब वह सागर पर बैठ ध्यान लगाता तो, बगुले उसकी आस्तीनों में मत्स्याखेट करते थे।

उसे मन्दिर में बुलाया गयाा। पुरोहित ने उसके समक्ष एक अण्डा रख दिया और उससे प्रश्न किया।

उसने वह अण्डा लिया और उसे अपने केश-गुच्छ में लगी हरिताश्म की पिन के सिरे पर रख लिया।

किसी ने उससे यह नहीं पूछा कि उसने यह कैसे और क्यों किया। किन्तु कभी-कभी, जो लोग इस कहानी को सुनते हैं वे उसके जैसा बनने का सपना देखते हैं।[59]

शंकराचार्य ने कहा है : "दर्शन के विषय में जितनी बातें कर सकते हो कर लो, जितने देवों को चाहो पूज लो, कितनी ही दिव्य विभूतियों की भक्तिपूर्वक स्तुति कर लो, मोक्ष एक सौ शताब्दियों बाद भी तब तक नहीं मिलेगा जब तक तुम्हें स्व के एकत्व का बोध नहीं होगा।"

ज्ञानेश्वरी

आत्मन् न तो विभाजित है और न ही अविभाजित अर्थात् समग्र, न तो सक्रिय और न ही असक्रिय अर्थात् निष्क्रिय, न तो क्षीण और न ही स्थूल, क्योंकि वह निर्गुण है; वह न तो दृश्य है और न ही अदृश्य, न तो बोधगम्य और न ही अबोधगम्य, न तो उज्ज्वल और न ही अंधकारमय, न तो लघु और न ही विशाल, क्योंकि वह अरूप है; वह रिक्त है और न ही, पूर्ण, न तो सम्पत्ति सहित है और न ही सम्पत्ति रहित, न तो सरूप है और न ही अरूप, क्योंकि वह शून्य है।

उसे न तो आनन्द की अनुभूति होती है और न ही वह प्रबुद्ध है; न तो वह एक है और न ही अनेक, न तो बन्धनमुक्त और न ही बन्धनयुक्त। आत्मन् वही है।

फल जैसे पुष्प में होता है, पुष्प जैसे कली में, कली जैसे शाखा में, शाखा जैसे वृक्ष में, वृक्ष जैसे बीज में, और बीज जैसे फल में, ठीक वैसे ही "मैं हूँ" सर्वत्र है,और सर्वात्मन् से इतर कुछ भी नहीं है।

ज्वाला और अग्नि एक है; पद्म की पंखुड़िया पुष्प से जुड़ी होती हैं, और फल और शाखा ही स्वयं वृक्ष होते हैं, उसी प्रकार समूचा विश्व ही आत्मन् है।

जल में आर्द्रता है, आकाश में विस्तार है, शक्कर में मिठास हैः उनके मध्य कोई वास्तविक पृथकता नहीं है। जब एकत्व की यह दृष्टि जागृत हो जाती है तो, व्यक्ति को दिव्य सम्पदा का जलयान मिलता है जिस पर वह भव सागर को पार कर सकता है। तब, वह जहाँ भी देखता है, उसे बस दिव्य ही दृष्टिगोचर होता है और वह असीमानन्द की स्थिति में प्रवेश कर जाता है।

आत्मन न तो काया को ले जाता और न ही छोड़ जाता है। यदि वह काया में रहता भी है तो, काया उसका अन्तरण नहीं करती। आत्मन् न तो कर्म करता है और न ही कर्म का कारण बनता है। वह छोटी से छोटी देवयोगजन्य घटना को भी जन्म नहीं देता। वह युगानुयुग एक-सा रहता है। इस प्रकार, वह न तो अधिक पर निर्भर होता है और न ही न्यून पर।

अग्नि की चिंगारियों के समान, समस्त सृजित रूप उस 'एक' में बद्धमूल होते हैं।

जब मिट्टी का पात्र टूट जाता है और उसके टुकड़े फेंक दिए जाते हैं तो,

उसमें समाविष्ट वायु सर्वत्र व्याप्त वायु में विलीन हो जाती है। उसी प्रकार, जब "मैं यह काया हूँ" की धारणा काया के साथ मर जाती है तो, यदि व्यक्ति अपनी वास्तविक प्रकृति को याद रखता है तो, वह एकत्व को प्राप्त होता है और कुछ नहीं। वह तुरन्त आत्मन् के साथ एकाकार हो जाता है। जब काया के साथ सरोकार की हवा बहनी बंद हो जाती है तो, हे योद्धा! आत्मा का परमात्मा से उसी प्रकार मेल हो जाता है जैसे लहरें सागर में विलीन हो जाती हैं।

यद्यपि आप अब भी अपनी काया में बने रहते हैं, फिर भी आप उसकी जन्मगत उपाधियों और गुणों पर निर्भर नहीं रह जाते।

सागर की लहरों, सूर्य की किरणों, पृथ्वी के अणुओं, और शरीर के अंगों के समान ही, काया-संवेदनों का उदय मानस में होता है।

इहलौकिक, अस्तित्व के जल में विद्यमान किसी मीन के समान, आपको सुख-दुख का अनुभव करना होता है, और फिर भी अपनी वास्तविक प्रकृति में स्थापित रहते हुए उन दोनों के प्रति ही उदासीन रहना होता है।

जैसे बीजों को भूसी से अलग किया जाता है, जैसे गंगा नदी अपनी यात्रा पूरी कर लेने पर सागर में मिल जाती और अपने प्रचंड प्रवाह को पीछे छोड़ देती है।

उसी प्रकार, हे अन्तिम सम्पदा के विजेता, सुख-दुख को वह व्यक्ति कायिक जीवन की अवस्थाओं के रूप में समान रूप में स्वीकार करता है जिसने आत्मन् में वास प्रारम्भ कर लिया होता है।

जैसे विशालतम लहर सागर से किन्चित् भी भिन्न नहीं होती, वैसे ही तुम में और सर्वात्मन् में कोई भिन्नता नहीं है। जैसे स्वर्ण उससे निर्मित आभूषण के साथ एकाकार होता है, और प्रकाश से किरण फूटती है, फिर भी किरण भी अपने आप में प्रकाश होता है, ठीक उसी प्रकार तुम्हें समझ लेना चाहिए कि तुम मुझमें हो।

अपने आप को आत्मन् से भिन्न मत मानो। तुम वैसे ही आत्मन् का अंश हो जैसे धूल का एक अणु पृथ्वी का अंश है।

जब व्यक्ति की दृष्टि एकत्व के अनुभव से प्रकाशमान होती है तो, हम इसे भक्ति कहते हैं।

एक ही धागा पूरे वस्त्र में बुना जाता है, उसी प्रकार समग्र विश्व में केवल आत्मन् को मानो। जैसे अनायास जल का प्रवाह होता है, वैसे ही सभी प्राणियों को सम्मान देना अपना स्वभाव बनाओ।

जैसे फल से लदी डाली सहज ही भूमि की ओर झुक जाती है, वैसे ही सभी प्राणियों के समक्ष झुको।

अपनी महानता के प्रति चिन्तित न रहते हुए, अन्तिम सत्य का विजेता यह अन्तर नहीं कर पाता कि क्या महत्त्वपूर्ण है और क्या नहीं। सब कुछ सफाई से एक साथ रखकर, वह सानन्द सबके समक्ष नमन करता है।[60]

इस विषय में सोचो ही मत

संत ह्वांग पो ने कहा है : "अपनी समझ और अपनी मान्यताओं की निर्मिति अपनी इंद्रियों और अपने विचारों पर मत करो, किन्तु साथ ही उस मन की तलाश भी मत करो जो तुम्हारी इंद्रियों और तुम्हारे विचारों से भिन्न है : अपनी इंद्रियों और अपने विचारों को अस्वीकार करके वास्तविकता को ग्रहण करने का प्रयास मत करो। जब तुम न तो उनसे अनुरक्त हो, और न ही उनसे विरक्त, तब तुम अपनी स्वतन्त्रता का आनन्द लेते हो। इस प्रकार अबाधित, वे बोधि की तुम्हारी भूमियाँ हैं।"

उस दिन, जाजेन से पहले, गुरु ने एक कथा सुनाई....

एक टोकरी बनाने वाला पर्वतीय क्षेत्र में एक पुराने मकान में रहता था। वह आग के पास बैठा काम कर रहा था कि पर्वत की डोकरी वहाँ आ पहुँची:

"ठिठुरा देने वाली ठंड है!" उसने अपने भर्राए कंठ से कहा।

टोकरी बनाने वाले ने मन ही मन कहा : "कैसा दुर्भाग्य है; यह भयंकर पर्वत की डोकरी यहाँ आ गई है। मुझे उस पर राख फेंकनी होगी नहीं तो वह मुझे खा जाएगी..."

डोकरी ने बहुत धीमे स्वर में कहा : "हो हो! तुम मुझ पर राख फेंकना चाहते हो..."

टोकरी बनाने वाला चकित रह गया, उसने सोचा : "मैं उसके टुकड़े-टुकड़े कर दूँगा।"

उसने पूछा : "हो हो! तुम मेरे टुकड़े करना चाहते हो?"

टोकरी बनाने वाला समझ गया कि डोकरी यह अनुमान लगा रही है कि वह क्या सोच रहा है और वह शीघ्र ही उसे अपने वश में कर लेगी।

तब डोकरी ने एक बार फिर पुष्टि की :

"हो हो! तुम डर गए, क्यों?"

उसने तय कर लिया कि वह डोकरी के विषय में अब और नहीं सोचेगा, और उसने बेंत की बुनाई पर अपना ध्यान जमा दिया और अपना काम करता रहा।

टोकरी तैयार हो जाने पर उसने उसे रखने और एक नई टोकरी शुरू करने के लिए सिर उठाया तो देखा कि वह डोकरी वहाँ नहीं थी। जहाँ वह थी, "उसकी जगह अब ठंडी राख का एक छोटा-सा ढेर था..."

जाजेन की समाप्ति पर, एक व्यक्ति उठ खड़ा हुआ, वह विचलित दिख रहा था, उसने अपने पड़ोसी के कान में कहा :

"मैं तो सोचना नहीं बंद कर सकता।"

"चलो अब इस बारे में में मत सोचो।" उसने जवाब दिया।[61]

"जो कुछ भी मन में प्रकट होता है और मन में लुप्त हो जाता है, वह स्वयं मन ही होता है।"—पतंजलि

आत्मिक अनुभव

मठाध्यक्ष प्येर उन बीते दिनों की बात बता रहे थे जब वह नवगठित 'इम्माऊस कम्पेनियन्स' के लिए फर्नीचर ढोकर अपना समय बिता रहे थे : "रात में मैं टूटा, थका और पस्त होता था, किन्तु जो काम हमने किया था उसके विषय में सोचकर मुझे आनन्द होता था। यह आनन्द ही ईश्वर है।"

आंद्रे फ्रोसार दिव्य सत्ता के साथ अपने साक्षात्कारों को याद करते हैं। "मैं यह नहीं कह रहा कि आसमान खुलता है, यह खुलता नहीं है, यह कूदकर आगे आता है, यह अचानक एक निःशब्द रेखाकृति जैसा इस असम्भाव्य प्रार्थनाघर में ऊपर उठता है जिसमें यह रहस्यमय ढंग से सम्मिलित है...."

"यह एक मृत्यु-मार्ग के समान है। ऐसा होता है कि नाड़ी लगभग रुक जाती है।" अवीलाकी सन्त टेरेसा ने लिखा है। "प्रायः मेरी काया इतनी हल्की लगती है कि मुझे इसके भार की अनुभूति नहीं होती, और वह भी इस सीमा तक कि कभी-कभी तो मुझे पता ही नहीं होता कि मेरे पाँव धरती का स्पर्श कर भी रहे हैं या नहीं।"

"और सब कुछ अनजान और नया बेता है..." रॉबर्ट ब्राउनिंग ने लिखा है।

पीर ने अत्यन्त गम्भीर होकर अपने शिष्यों से इस पर विचार करने को कहा कि "हम किसकी तलाश कर रहे हैं? जब हम ईश्वर को खोजते हैं तो, हम किसकी तलाश करते हैं?"

यदि हमें यह बिल्कुल ठीक-ठीक पता हो कि ईश्वर क्या है तो, वह अज्ञात और अज्ञेय बना रहेगा। हम नहीं जानते कि ईश्वर हमें किस हाल में मिलेगा, किस रूप में प्रकट होगा और सबसे बड़ी बात तो यह है कि हम उसे पहचान भी पाएंगे या नहीं....आवश्यक नहीं कि ईश्वर स्वयं को उस प्रकार उजागर करे जैसी कि हम उससे अपेक्षा करते हैं।

किन्तु समय-समय पर, हम सभी एक प्रकार की अन्तः प्रेरणा का अनुभव करते हैं, समरसता का एक क्षण, एक विशेष अनुभूति, अर्थ से परिपूर्ण, एक हल्कापन, एक बोधि, प्रत्येक वस्तु और व्यक्ति के साथ संगत का बोध जो हमें एकीकृत, सुसंगत और हितकारी वास्तविकता का बोध कराता है। यह शान्ति, सौम्यता, अथवा

आनन्द का क्षण हो सकता है।

हम सभी ने ऐसे क्षणों का अनुभव किया है, यद्यपि हम अपने-अपने तरीके से उनका बखान करते हैं। हम सदा ही उनकी यथावत पहचान नहीं करते। हम उनके महत्त्व को नहीं पहचानते क्योंकि हम नहीं जानते कि हम आत्मिक अभियान में किसकी खोज कर रहे हैं। इस प्रकार, हम उन्हें धूमिल हो जाने देते हैं। फिर भी, ये सम्भवतः रहस्यमय यौगिक अनुभव होते हैं।

उन क्षणों के प्रति सचेत रहो जब बाह्य और आन्तरिक की सीमा रेखा का लोप हो जाता है, जब समय निलम्बित हो जाता है, अवास्तविकता का सहसा बोध होता है, अथवा तुम्हारे आसपास की प्रत्येक वस्तु के साथ निकटता की अनुभूति होती है।

सार्थक होते हुए भी, यह अनुभव स्थाई नहीं होता। यह सहसा और सदा के लिए हमें बदल नहीं देता। यह आता है और चला जाता है। किन्तु इससे यह अमहत्त्वपूर्ण नहीं हो जाता।

यह सहज रूप में घटित होता है, किन्तु हम आध्यात्मिक और दार्शनिक परम्पराओं के बताए विभिन्न माध्यमों से उसका प्रयास भी कर सकते हैं।

इन क्षणों के प्रति सचेत रहो जिनमें वह असीम सत्ता तुमसे साक्षात्कार करती है।

हमारी समस्त मानसिक और भौतिक (कायिक) खोजें हमारे भीतर ही चलती हैं, मानो वे एक पुष्पपात्र में हों। यह पात्र ही हमारी कायिक और आत्मिक वैयक्तिकता है। हम अपने आप से बाहर कभी नहीं निकल सकते। स्वयं के बाहर या उस संसार से बच निकलने का कोई रास्ता नहीं है जिसमें हम रहते हैं क्योंकि यह संसार हमसे बाहर नहीं है, अपितु हमारे अन्दर है—अलेक्जेंड्रा डेविड-नील।

सच्चिदानन्द ब्रह्म

हिन्दू अद्वैत दर्शन यह प्रतिज्ञान करता है कि "कर्म से अधिक ज्ञान ही अज्ञान को मिटाता है, इसकी प्रतिज्ञा है कि : "अद्वैत के सिद्धान्तों का ज्ञानार्जन और अध्ययन करने से अद्वैत को समझना और उसका अप्रत्यक्ष ज्ञान प्राप्त करना सम्भव होता है। किन्तु, इस अप्रत्यक्ष ज्ञान को तुरन्त ही प्रत्यक्ष ज्ञान में रूपान्तरित किया जा सकता है।" तब तक, तर्कणा अंधकार और भ्रम के चिह्नों को मिटा देती है, चिन्तन प्रकाश बिखेरता है, और ध्यान-साधना अपने ही स्वरूप में स्थित चेतना के रूप में, ब्रह्म की प्रत्यक्ष प्राप्ति होती है। ऋग्वेद, उपनिषदों, वेदान्त, और शंकराचार्य, स्वामी विद्यारण्य और नारायण गुरु जैसे अद्वैत गुरुओं के ग्रन्थों के इसी दर्शन, इसी दृष्टिकोण को रूपायित किया गया है।

स्वामी आनन्द बाबा ने इसे विभिन्न तरीकों से समझाया है : "परम ब्रह्म को सत् चित् अथवा आनन्द (सत् : सत्ता; अस्तित्व; और वास्तविकता; चेतना : मेधा-चेता, आनन्दः सुख, अन्तर्निहित सर्वव्याप्त सुख) के माध्यम से जान सकते हैं।

इसे कहते हैं चेतना के मार्ग के माध्यम से ब्रह्म की प्रकृति की तलाश करना। अद्वैत का पहला संशोधन प्रकृति है। प्रकृति 'दूसरी' है, विभेद का पहला प्रभाव। यह दूसरा क्षण ही है जो गति उत्पन्न करता है। इसका आरम्भ रिक्तता से होता है। दिक् अथवा स्थान के पहले रितता से, यह बात मेरे गुरु ने आग्रहपूर्वक कही मानो वह इसे और भी रिक्त करना चाहते हों। जब कोई स्थान के विचार को रिक्तता से निकाल देता है तो, क्या बचता है?"

"कुछ नहीं," मैंने विश्वासपूर्वक कहा।

"इस प्रकार, 'कुछ नहीं' की संकल्पना जिसका प्रतीक होती है वह चेतना (चित्) के समक्ष उजागर होता है। अतः अस्तित्व (सत्) इसे प्रदान करना चाहिए। यह दुख उत्पन्न नहीं करता, इसलिए यह आनन्द भी है। परिणामतः जो शेष रहता है वह 'कुछ नहीं' न होकर सत् चित् आनन्द अर्थात् अस्तित्व, चेतना, और सुख होता है। नाम-रूप से प्रस्तुत प्रत्येक वस्तु का साझा तत्त्व होता है सच्चिदानन्द (सत् चित्, आनन्द)। यह सच्चिदानन्द ब्रह्म का प्रत्यक्ष ज्ञान है। कुछ भी समाविष्ट करने में असमर्थ रिक्तता के विषय में सोच रहा तुम्हारा मन किसी भी अन्य वस्तु

से रिक्त हो जाता है, और इस प्रकार स्वयं के लिए कुछ न होने की अवस्था को उजागर करता है और इस प्रकार स्वयं की अपरिवर्तनीय प्रकृति में स्थित चेतना के चिन्तन को सम्भव बनाता है।

जब तुम दिक् से इतर इस रिक्तता की तलाश करते हो तो, तुम्हारी चेतना कुछ न होने की अवस्था को देखती है, 'कुछ नहीं' के आस्तित्व को देखती है और इस प्रकार इसमें स्वयं को देख सकती है। और यह कष्ट से परे है।

इसे देखो।

(...)

"जब कोई पात्र टूटता है तो, मिट्टी फिर भी विद्यमान होती है। जब शरीर जल जाता है तो, राख बची रहती है। जब नाम और रूप लुप्त होते हैं तो 'कुछ नहीं' बचता है, किन्तु यह 'कुछ नहीं' अभी भी नाम और रूप के लोप को जानती चेतना होती है।

चेतना के बाहर कुछ नहीं होता। इसकी ऊर्जा के माध्यम से विश्व का ज्ञान होता है। इसके प्रकाश के माध्यम से यह जानने की प्रत्येक क्रिया में प्रकट होता है। चेतना ही ज्ञान है। ज्ञान न होने पर, तुम कह भी नहीं सकते कि तुम नहीं जानते। चेतना न तो ज्ञात है और न ही अज्ञात। यह वह सब जानती है जो ज्ञेय हैः विषय भी और विषयी भी।

किसी बात की उपस्थिति अथवा अनुपस्थिति ही ज्ञान है। ज्ञान के अतिरिक्त यह और कुछ नहीं हो सकता, चाहे इस ज्ञान के पीछे कुछ हो या न हो।

इसे देखो।

(...)

'जल से भरे इस पात्र को लो। इसके अन्दर देखो। पात्र के अन्दर जो भी स्थान है उसे जल ने घेरा हुआ है। अतः पात्र में जो स्थान है वह जल में निहित है।"

"जी", मैंने भरोसे के साथ कहा।

"अब, जल की सतह को देखो, चंद्रमा और तारों की प्रतिच्छाया को देखो। वह बाह्य आंतरिक भी जल में निहित हैं। पात्र का जल और आकाश का स्थान दोनों ही पात्र से सीमित स्थान में निहित है। यह तो मात्र एक खेल है माया का। इसी प्रकार, वह एक आत्मन् काया में भी है और अन्य प्रत्येक वस्तु में भी।

यह आत्मन् के रूप में ब्रह्म का दर्शन है, उसका प्रत्यक्ष ज्ञान है। पात्र से सीमित स्थान उसमें निहित जल से मर्यादित है और उसमें प्रतिबिंबित आकाश से भी, और यह ठीक वैसे ही है जैसे परिवर्तनशील वास्तविकता अर्थात् ब्रह्म को जीवरूपी आत्मन् ने छिपाया हुआ है।

"इसे देखो।"

(...)

"गहन निद्रा में, मन अपने कारण में, अभेदित अज्ञान में, तल्लीन होता है, और सब कुछ शान्त होता है। समाधि के समय, चेतना आत्मन् के विषय पर केन्द्रित होती है, और मानस के किसी भी विषयीगत ज्ञान के अधीन नहीं होती। गहन निद्रा और समाधि में, मानसिक क्रिया से मुक्त, जीव उस सच्चिानन्द ब्रह्म के आनन्द के ज्ञान से युक्त होता है।"

"क्या हम चेतना के अनुपस्थित होने पर भी 'ज्ञान' को गहन निद्रा कह सकते हैं?" मैंने आपत्ति की।

"हर कोई जानता है कि गहन निद्रा क्या होती है, भले ही चेतना अनुपस्थित हो। व्यक्ति को इसका सकारात्मक स्मरण होता है। स्मृति अनुभव का पूर्वानुमान करती है। गहन निद्रा हमें बहुत अच्छी लगती है। जब हम जाग जाते हैं तब भी, हमें यही लगता है कितनी अच्छी थी वह। हमें आनन्द के रूप में उसका स्मरण होता है। जैसे सुख और दुख ज्ञान हैं, वैसे ही उनकी अनुपस्थिति भी ज्ञान है।"

गहन निद्रा में, दृष्टिहीन व्यक्ति दृष्टिहीन नहीं होता; चोटिल व्यक्ति चोटिल नहीं होता। चेतना का, दुख की अनुपस्थिति को जानने का, एक तत्काल अनुभव होता है। और दुख क्योंकि आनन्द का उलटा होता है, इसलिए उसकी अनुपस्थिति आनन्द होती है।"

"यदि जब मुझे दुख या सुख किसी की भी अनुभूति नहीं होती तो, वह आनन्द की स्थिति होती है तो, यह पत्थर भी आनन्द की अवस्था में होना चाहिए।", मैंने फिर भी आपत्ति की।

"वस्तुओं को दुख अथवा सुख किसी का भी ज्ञान नहीं होता। उन्हें उनकी अनुपस्थिति का ज्ञान नहीं होता," मैंने अपने गुरु का खण्डन किया। "जब ज्ञाता का लोप हो जाता है तो, आनन्द प्रकट होता है। आत्मन् का ज्ञान आत्मन् को ही होता है।

इसे देखो।"

(...)

"अस्तित्व अर्थात् सत् के माध्यम से ब्रह्म की प्रकृति जानने का यह एक मार्ग है :

ब्रह्म से पृथक, स्थान का अस्तित्व तो नाम और रूप के लोक में उसके गुणों के कारण सम्भव है। स्थान (दिक्) के गुण हैं आयतन (Volume) देना, गति होने देना, और किसी-किसी मामले में ध्वनि का वहन करना। स्थान अपने गुणों में अस्तित्वमान होता है; यह उसका धर्म है।

किन्तु दिक् में, समस्त वस्तुओं के समान ही, अस्तित्व अर्थात् सत् ही सर्वप्रथम प्रकट होता है। यदि सत् को दिक् से निकाल दिया जाए तो, दिक् लुप्त हो जाता

है। किन्तु यदि हम सत् से दिक् को निकाल दें तो, सत् फिर भी बचा रहता है। यह सत्-ब्रह्म का प्रत्यक्ष ज्ञान है।

मृग मरीचिका के जल से प्यास नहीं बुझती। छवियों का यह संसार वास्तविकता के एकत्व को प्रभावित नहीं करता। सत्-ब्रह्म और द्वैत की परस्पर वंचक पहचान तब नष्ट हो जाती है जब उनमें भेद किया जाता है। अस्तित्व अर्थात् सत् दो नहीं है।

"सत् ही तो समस्त वस्तुओं में अस्तित्वमान अथवा प्रकट होता है। इन वस्तुओं का सत् से पृथक कोई अस्तित्व नहीं होता। इसीलिए तो अस्तित्व अर्थात् सत् एक है, उसका कोई दूसरा प्रतिरूप नहीं है।

इसे देखो।"[62]

पाँच

प्रार्थनाएँ

क्या प्रार्थना करना बुद्धिमतापूर्ण है? क्या प्रार्थनाएँ किसी काम की होती हैं? क्या वे बुद्धिमानी की ओर ले जाती हैं? क्या हमें ईश्वर की मदद माँगना इसलिए आवश्यक लगता है कि हम सोचते हैं कि वह नहीं जानता कि क्या हो रहा है?

ईश्वर प्रार्थनाओं को किस दृष्टि से देखता है? क्या वह उनसे आनन्दित होता है? अथवा क्या प्रार्थनाएँ ईश्वर की गहनता और अन्तरंगता को अंशतः अनुभव करने के प्रयास का एक तरीका हैं? लोग ईश्वर से कैसे बातें करते हैं? ईश्वर उनसे कैसे बात करता है? और हम ईश्वर के मौन को क्या समझें?

यहाँ प्रस्तुत हैं प्रार्थना विषयक कुछ प्रेरक कथाएँ

योम कीपूर की सन्ध्या

"हमें इस-इस रीति से प्रार्थना करनी चाहिए, और इस प्रकार ईश्वर की सेवा करनी चाहिए क्योंकि हमारे पूर्वजों ने भी ऐसा ही किया था।"

किन्तु आप कैसे निश्चित हो सकते हैं कि आपके सारे पूर्वज स्वर्ग में हैं? बाल शेम तोव ने उत्तर दिया।

योम कीपूर की सन्ध्या थी। इस दिन यहूदी लोग ईश्वर से क्षमा-याचना करते हैं।

एक यहूदी दुकानदार उपासनालय जाना चाहता था जो उसके गाँव से एक घंटे की पैदल दूरी पर था। किन्तु जब भी वह अपनी दुकान बन्द करने को होता, पड़ोसी पर्व के लिए कुछ न कुछ खरीदने आ जाते। मतलब यह कि वह वहाँ से निकल ही नहीं पाया।

अन्ततः जब उसने दुकान बन्द की, रात हो चुकी थी। बहुत देर हो गई थी। अब अगर वह दौड़ भी लगाता तो, उपासनालय बन्द होने के बाद ही वहाँ पहुँच सकता था। वह फूट-फूटकर रोने लगा :

"हे मेरे ईश्वर, मैं कैसे तेरी आराधना करूँ? मुझे प्रार्थनाओं के विषय में कुछ नहीं पता।"

परन्तु उसके मन में एक विचार आया :

"मुझे वर्णमाला की जानकारी है। तो मैं अक्षर बोलूँगा, और आप उसे क्रम से रख देना। उनसे आप प्रार्थनाएँ बना सकते हैं!"[63]

रूमी

बुद्धिमान व्यक्ति में हास्य बोध होता है, और वह, ईश्वर के साथ बातचीत करते समय भी निस्संकोच प्रतिक्रिया देता है...

एक दिन, महान सूफी गुरु, रूमी मन को थोड़ा विश्राम देने के उद्देश्य से टहल रहे थे। उनके सबसे समर्पित शिष्य, उनके एकान्त को सम्मान देते हुए, उनसे कुछ कदम पीछे चल रहे थे। रूमी सोच रहे थे : "हे रूमी तुम तो मजे में हो न? ये रेशमी वस्त्र, ये नये जूते, और शिष्य, वाह...मेरे लिए तो सब कुछ बढ़िया चल रहा है.."

ईश्वर ने उनसे कहा :

"हे रूमी, क्या मैं तुम्हारे शिष्यों से कह दूँ कि तुम क्या सोच रहे हो?"

"अरे नहीं!" रूमी ने उत्तर दिया। फिर थोड़ा सोचने के बाद, वह बोले :

"देखिए, ईश्वर, वे आपका भय, आपकी आज्ञा मानते हैं, है न? क्या मैं उनको अपनी दया के बारे में बता दूँ? अगर हम कभी कुछ गलत न करें तो, आप अपनी क्षमता का उपयोग कैसे कर पाएँगे?"[65]

अलविदा

क्या सृष्टि की रचना करने वाले की स्तुति करना और उसे और उसके नाम को महिमामण्डित करना बुद्धिमतापूर्ण है जबकि उसकी सृष्टि में रहते हुए चारों ओर हमें दुख और मुश्किलें दिखाई देती हैं?

मरने से पहले, बाल शेम तोव ने अपने शिष्यों को वचन दिया कि स्वर्ग पहुँचते ही, वह जो भी कर सकते हैं करेंगे और अपने प्रभाव और अधिकार का इस्तेमाल करते हुए यह सुनिश्चित करेंगे कि मसीहा को धरती पर भेजा जाए। (मसीहा के धरती पर आने का मतलब है संसार का और उसके साथ ही कष्ट का अन्त)। उसी दिन बाल शेम तोव की भेंट सचमुच मसीहा से हो गई। किन्तु इस भेंट से वह इतने आनन्दित हो गए कि वह अपना वचन ही भूल गए। इस तरह, मसीहा नहीं आए।

जब महान मजीद का मरने का दिन आया तो, उन्होंने सभी को विश्वास दिलाया कि वह ऐसे आनन्द से प्रभावित नहीं होंगे : "मैं मसीहा से भेंट का आग्रह नहीं करूँगा, बल्कि मैं मसीहा को छोड़ और सभी को इतना परेशान कर दूँगा कि उन्हें इस दुनिया में आना पड़ जाएगा।" यह वचन महान मजीद ने उन्नीसवीं शताब्दी के प्रारम्भ में दिया था और मसीहा अभी तक नहीं आए हैं।

रब्बी रोस्त्रोविच ने ऐसा कोई वचन नहीं दिया। वह अपनी शय्या पर मरणावस्था में लेटे थे, कि तभी अचानक अपनी सारी ताकत बटोरकर वह उठ खड़े हुए। उन्होंने अपने शिष्यों को बुलाया और अन्तिम बार कहा :

"जब मैं मरने के बाद ईश्वर के आगे उपस्थित होऊँगा तो, मैं उन्हें मुझसे यह जवाब तलब नहीं करने दूँगा कि मैंने क्या किया-क्या नहीं किया। मुकद्दमा तो ईश्वर का होगा, और मैं फैसला करूँगा।"

मैं ईश्वर से कहूँगा : "आप मेरा फैसला करने की हिम्मत कैसे कर सकते हैं? मैंने कभी अपने जन्म का आग्रह नहीं किया और मैं तो एक तुच्छ प्राणी हूँ, जबकि मुझे संसार में लाने वाले और इतने शक्तिमान आपने मनुष्य जाति को दुख में छोड़ दिया है है? हजारों वर्षों तक आप क्या करते रहे? क्या फिलहाल आपने संसार का अवलोकन किया है? मैंने जीवन का भारी बोझ ढोया है, और

आप, आप क्या यह देख रहे थे कि मैं कब लड़खड़ाकर गिरने वाला हूँ?"

मैं ईश्वर से यह भी कहूँगा कि : "आपने ग्रन्थों में नर्क को डाल दिया और हमारे दिलों में वासना को। फिर क्या आश्चर्य है जो हम बहकावे और प्रलोभन में पड़ जाते हैं? हमें आपकी दया मौत से पहले चाहिए होती है, उसके बाद नहीं।" और मैं यह भी कहूँगा कि : "आप सर्वव्यापी हैं तो, याद रखें कि आप पाप में भी हैं और निश्चय ही पापी में भी।"

मैं किसी प्रकार की कोताही नहीं करूँगा और यदि ईश्वर ने मुझे चुप करने के लिए स्वर्ग द्वार में प्रवेश का आमन्त्रण दिया तो, मैं तभी अन्दर जाऊँगा जब मुझसे पहले आदि काल से अब तक के सारे लोगों को उसमें प्रवेश करने दिया जाएगा।

रब्बी रोस्त्रोविच ने अन्त में अपने शिष्यों से कहा : "ईश्वर की स्तुति करना और उससे विनती करना बन्द करो, मेरे पुत्रो। अपनी फटकारों से उसे तंग करो। उसे और मनुष्य जाति को सबसे अधिक आवश्यकता इसी की है।"[65]

ईश्वर को कुछ नहीं चाहिए

धर्म ग्रन्थ कहते हैं, "वह तुम्हारी स्तुति है, वह तुम्हारा ईश्वर है।" रब्बी पिनहास इसे इस तरह समझाते हैं : "वह तुम्हारी स्तुति है, और ईश्वर यथार्थतः यही है। प्रार्थना ही तत्त्वों को एक करती है। जो प्रार्थना करता है वह जानता है कि उसकी प्रार्थना अपने आप में दिव्य है।"[66]

शेख आज़म का एक शिष्य सुबह से रात तक प्रार्थना में लीन रहता था। वह निन्यानवे नामों की साधना भी करता था। रात में वह कितनी ही बार पवित्र कुरान पढ़ लेता और जिक्र कर लेता था। ऐसे में कुछ और लोग भी उसके साथ होते थे। एक बार एक मजलिस के दौरान, उसने शेख आज़म से पूछ लिया :

"मैं रोज दस घंटों से भी अधिक प्रार्थना करता हूँ, फिर भी मुझे पहले से कोई अन्तर दिखाई नहीं देता।"

"अगर तुम आनंद के लिए प्रार्थना करते हो तो, ऐसा करते रहो। अगर तुम कर्त्तव्य समझकर या किसी दबाव में या ईश्वर को प्रसन्न करने के लिए प्रार्थना करते हो तो, फिर प्रार्थना करना छोड़ दो। ईश्वर ने हमें प्रार्थना करने की आज्ञा इसलिए दी है ताकि हम उसे अपने अन्दर पा सकें। उसे कुछ नहीं चाहिए।"

तब शेख आज़म ने उसे यह कहानी सुनाई :

'एक आदमी हर रात दस हजार बार ईश्वर का नाम लेता था, अल्लाह, अल्लाह, अल्लाह, अल्लाह, अल्लाह, अल्लाह, अल्लाह, अल्लाह....

एक दिन किसी ने उससे कहा :

"चुप हो जाओ, तुम्हें कोई शर्म है या नहीं? कितनी देर ईश्वर का नाम लोगे तुम? देखते नहीं वह जवाब नहीं दे रहा है?"

यह सुनकर उस आदमी का दिल टूट गया और उसी मानसिक अवस्था में वह सो गया। तब उसने सपने में एलियाह नबी को देखा। वह पूछ रहे थे :

"तुमने ईश्वर का नाम लेना क्यों छोड़ दिया?"

"मुझे कोई उत्तर ही नहीं मिलता था", उस आदमी ने कहा। एलियाह ने उसे समझाया :

"ईश्वर ने तुम्हारी प्रार्थनाएँ सुन ली हैं। तभी तो वह तुम्हें ऐसा करने दे

रहे हैं। तुम जो प्रार्थना करते जा़ रहे थे, उसी से स्पष्ट है कि तुम्हारी प्रार्थनाएँ स्वीकार हो रही है।"

"ईश्वर तुम्हारी प्रार्थनाओं में प्रकट नहीं होगा, वह पहले से ही उनमें है", शेख आज़म ने कहा। "वह खोजी है। तुम्हें ऐसा कुछ भी नहीं मिलेगा जो उसका स्तुतिगान न करता हो। "बाहर" कुछ नहीं है। कहीं और कोई स्वर्ग या नर्क नहीं है और ईश्वर भी कहीं और नहीं है। ईश्वर हमारी गले की नसों से भी कहीं अधिक हमारे निकट है। वास्तव में, वह मनुष्य और उसके हृदय के बीच छिपा रहता है। हम वे कान हैं जिससे वह सुनता है, आँख हैं जिससे वह देखता है, वह हाथ हैं जिससे वह मारता है, वह पैर हैं जिससे वह चलता है" नबी ने कहा।

कुत्ता और बिल्लियाँ

शायद ईश्वर वह नहीं है जो हम सोचते हैं। जब हम कुछ पाने के लिए प्रभु की स्तुति पर स्तुति किए जाते हैं और परिणामतः हाँफ जाते हैं तो, यह हम अपनी ही इच्छाओं को नया रूप दे रहे होते हैं। इसे समझाने के लिए एक साधु ने यह कथा सुनाई :

एक दिन एक बुद्धिमान कुत्ता कुछ बिल्लियों के पास से निकल रहा था। वे सारी व्यस्त थीं और उनमें से किसी का भी ध्यान उसकी ओर नहीं था, इसलिए वह उनके निकट चला गया।

एक बड़ी, गम्भीर, और विचारशील दिखने वाली बिल्ली उनसे ऊँची, स्पष्ट आवाज में कह रही थी : "बंधुओ, बार-बार प्रार्थना करते रहो और सच मानो तुम्हारे लिए चूहों की वर्षा होगी।" कुत्ता यह सुनकर मन ही मन हँसा। जाते-जाते उसने अपने मन में कहा : "अंधी पागल बिल्लियो, तुम्हें पता नहीं क्या कि यह लिखा है और मैंने स्वयं और मेरे पूर्वजों ने भी यही सीखा है कि प्रार्थना, आस्था और विनती से चूहों की नहीं बल्कि हड्डियों की बरसात होगी।"[67]

गठजोड़

सन् 1985 में, पेरिस के यहूदी उपासना गृह में, यहूदियों के नरसंहार की स्मृति में आयोजित सभा में महा रब्बी गोल्डमैन ने संशोधनवाद से प्रेरित प्रवचन दिया।[68] उन्होंने सीधे ईश्वर को सम्बोधित किया :

"तुमने नाजियों के मृत्यु शिविरों में न केवल अपने बेटों की हत्या होने दी, बल्कि तुमने उन्हें यह भी कहने दिया कि ऐसा कभी हुआ ही नहीं! मानो तुम उन्हें दूसरी बार त्याग रहे थे...उनके लिए हम पर कृपा करो जो तुम्हारे एकत्व को श्रद्धांजलि देने के लिए मर गए, यदि हमारे लिए नहीं तो अपने लिए ही ऐसा करो, अपने लिए ऐसा करो और अपने नाम को महिमा दो।[69]

यहूदियों की यह परम्परा है कि वे ईश्वर का विरोध करते हैं, क्योंकि उसके साथ उनका एक प्रकार का अनुबन्ध है, गठजोड़ है।

कुलपिता याकूब के विषय में कहा जाता है कि उसने मनुष्य और ईश्वर दोनों के साथ कुश्ती की और उन्हें पछाड़ा भी। तब से, कुछ लोगों ने ईश्वर और उसकी आज्ञाओं के समक्ष झुकने से मना कर दिया। बाल शेम तोव, उसके शिष्य और उनके उत्तराधिकारी उनमें शुमार थे। वे ईश्वर को सम्बोधित करते समय चापलूसी नहीं बरतते थे, बल्कि थोड़ी निडरता से ही काम लेते थे, क्योंकि इस परम्परानुसार आप मनुष्य के हित में ईश्वर से खुलकर कुछ भी माँग सकते हैं। अनाहूत विनम्रता से ईश्वर का सम्मान नहीं होता।

जब देश पर विपत्ति आई तो, रब्बी लीब ने ईश्वर को गुहार लगाई : "अगर तुम सोचते हो कि तुम अपने लोगों को दुख देकर उन्हें वापस अपने पक्ष में ले आओगे तो, मैं लीब, पुत्र रेचल, यह सौगंध खाता हूँ कि तुम इसमें सफल नहीं होगे। अपने बच्चों को आनन्द से बचाओ, उन्हें मुक्ति दो।"

रब्बी मेनाहोम मेंडेल ने कहा था : "मुझे किसी चीज या व्यक्ति से डर नहीं लगता, देवदूत से भी नहीं, ईश्वर से भी नहीं! किन्तु किसी भिखारी का विलाप मुझे कंपा देता है।"

एक दिन, जब देश अकाल में तबाह हो रहा था तो, श्पोल के पितामह ने तालमदी कानून के दस ज्ञाताओं की सभा बुलाई कि ईश्वर पर मुकदमा चलाया

जाए। उन्होंने यह फैसला सुनाया कि : "पिता को चाहिए कि वह हर हाल में अपने बच्चों को भोजन दे। इसलिए ईश्वर को आज्ञा दी जाती है कि इस अकाल को रोके।" जब सदाचारी का फैसला आता है तो, ईश्वर को मानना ही होता है।

बेर्तिचेव के रब्बी लेवी-यित्ज़ाक ने तो ईश्वर पर फैसला सुनाकर उसे धमकी तक दे डाली। वह निरन्तर ईश्वर को स्मरण कराते रहते थे कि उसे भी क्षमता की दरकार है : "ऐसा एक भी मनुष्य नहीं है जिसके समक्ष ईश्वर अपराधी नहीं है।"

"यह एक सामान्य प्रकृति है कि मनुष्य अपने आप पर दया करता है। किन्तु अब समय आ गया है कि ईश्वर पर दया की जाए, यह मानना था सलूलीन के रब्बी आशेर का।"[70]

"मैं तो, शाहिद बस तुम्हें यह बताने के लिए भागा था कि ईश्वर मेरी बाँहों में रो रहा है।"–एक भारतीय गजल

कबीर

प्रार्थनाएँ कभी-कभी ज्ञान का प्रमाण होती हैं, या प्रेम गीत....

जिस दिन से अपने प्रभु से मिला हूँ मैं, हमारी प्रेम-लीला का कोई अन्त नहीं है।

मैं अपनी आँखें नही मूँदता, अपने कान बन्द नहीं करता, मैं अपने शरीर को प्रताड़ित नहीं करता;

मैं आंखें खोलकर देखता, और मुस्कराता हूँ, और देखो उसका सौन्दर्य हर कहीं है :

मैं उसका नाम लेता हूँ और मैं जो कुछ भी करता हूँ, वह उसकी पूजा हो जाती है।

उदित और अस्त होना मेरे लिए एक समान है; सभी अंतर्विरोध हल हो गए हैं।

मैं जहाँ भी जाता हूँ, उसके गिर्द घूमता हूँ,
मेरी समस्त उपलब्धि उसकी सेवा है।

जब मैं लेटता हूँ, उसके चरणों में दण्डवत् लेटता हूँ, मेरे लिए बस वही पूज्य है : उसके अतिरिक्त कोई और नहीं है।

मेरी जीभ ने अपवित्र वचनों को त्याग दिया है; यह दिन-रात उसकी ही महिमा गाती है :

मैं चाहें उठूँ या बैठूँ, मैं उसे कभी नहीं भूल सकता; क्योंकि उसके संगीत की लय मेरे कानों में बजती है। कबीर कहते हैं : ''मेरा हृदय उन्मत है, और मेरी आत्मा में जो है गुप्त उसे मैं उजागर करता हूँ। मैं उस एक परमानन्द में लीन हूँ जो समस्त सुख-दुख से इतर है।''

पवित्र स्नान स्थलों में जल के अतिरिक्त कुछ नहीं है; और मैं जानता हूँ वे व्यर्थ हैं, क्योंकि मैं उनमें नहाया हूँ।

मूर्तियाँ सब निर्जीव हैं, वे बोल नहीं सकतीं, मैं जानता हूँ क्योंकि मैं ऊँचे स्वर में उनके आगे रोया हूँ।

पुराण और कुरान मात्र शब्द हैं; परदा उठाकर मैंने देखा है।

कबीर अनुभव के शब्दों को मुखर करते हैं और वह भली-भाँति जानते हैं कि अन्य सभी बातें असत्य हैं।[71]

नास्तिक और भक्त

नास्तिक का कहना थाः 'यीशु ने कहा है : "मैं तुमसे सच-सच कहता हूँ : तुम मेरे नाम में पिता से जो भी माँगोगे, वह तुम्हें देगा। यह सच नहीं है। हम सब जानते हैं यह सच नहीं है। सच तो यह है कि ऐसा बहुत ही कम होता है। इतना कम कि जब ऐसा होता है तो हम उसे चमत्कार कहते हैं!

अगर थोड़ी स्पष्टता से अपने आस पास देखा जाए तो, कुछ निश्चित होता है कि ईश्वर में विश्वास करने का कोई कारण नहीं हैं। संसार दुख से भरा है। यद्यपि ईश्वर से यह अपेक्षा की जाती है कि वह सब कुछ करेगा, फिर भी इससे बेहतर वह कुछ नहीं कर सकता और अनेक लोगों की समझ में यह काफी से बहुम कम है।"

भक्त ने उत्तर दियाः "जब में प्रार्थना करता हूँ तो, मैं कहता हूँ : मुझमें समस्त प्राणियों के प्रति छलकता प्रेम भरो, मुझे समस्त सचेतन जीवों के कष्ट साझा करने की अनुमति दो; होने दो कि उदारता मुझे उन सभी से बाँध दे जो भटकते हैं; भगवान, हे भगवान, होने दो कि मैं ऐसा हो सकूँ।"72

मैं और तुम

एक रात, बायेसिड बेस्तौनी ने सपने में भगवान को देखा। भगवान ने उससे कहाः

"तुम्हें क्या चाहिए,"

"वही जो तुम अपने लिए चाहते हो, भगवान!"

"मैं तुम्हें चाहता हूँ, जैसे तुम मुझे चाहते हो।"

"कौन-सा मार्ग तुम तक ले जाता है, प्रभु?"

"जो स्वयं को त्याग देगा वह मुझे पा लेगा।"

उस दिन से बायेसिड ईश्वर से इस प्रकार प्रार्थना करने लगाः

"कब तक तुम्हारे और मेरे बीच 'मैं' और 'तुम' रहेगा? हममें से मेरा 'मैं' मिटा दो, इसे पूरी तरह से तुम्हारा 'तुम' हो जाने दो, इसे अब मेरा 'मैं' मत रहने दो।"[73]

जो स्वयं को तुच्छ समझता है और केवल तुच्छ होने को अपना लक्ष्य बनाता है, वह आध्यात्मिक गुरु होता है, यह के महान माजिद ने कहा है।

मौन

हर कोई एक ही ईश्वर से प्रार्थना नहीं करता; न तो वे एक ही तरीके से प्रार्थना करते हैं और न ही एक कारण से...कुछ लोग तो प्रार्थना करते ही नहीं...

हर सुबह वह पहाड़ी पर चढ़कर एक शिला पर बैठ जाता था। चेरी के पेड़ के नीचे ध्यान-साधना में लीन होकर वह चारों ओर दृष्टिपात करता, खेतों को, गाँव को, मवेशियों को, पक्षियों को, उसके पैरों तले उग रही घास-पत्तियों को, और धीरे-धीरे खिलते नन्हें वनफूलों को देखता था... आकाश उसे समय का ज्ञान कराता, चींटियाँ सक्रियता का, मनुष्य प्रतिबद्धता का, और वृक्ष धैर्य का।

वह कभी प्रार्थना नहीं करता था। बस संसार को देखना ही उसकी प्रार्थना थी। वह जो भी देखता वह पवित्र होता था। वाणी संसार को अपवित्र बनाती है—''मौन'' का यही कहना है।

छह

अच्छा और बुरा

अच्छा क्या है और बुरा क्या है? सुंदरता और? कुरूपता क्या है? इन्हें तय करना कठिन है।

संसार ने हमारे आनन्द के लिए जो अद्‌भुत चीजें दी हैं हम उन पर चकित हो सकते हैं। फिर भी हम इन कुछ अद्‌भुत चीजों में निहित भयावहता को भी देख सकते हैं।

ध्यान से देखने पर, प्रकृति और जीवन अपना घोर कठोर रूप प्रकट करते हैं। जब ज्वालामुखी फटते और जान ले लेते हैं, जब रोग कष्ट देते और मार देते हैं, जब कसाई भोजन के लिए बकरे का वध कर देता है, या कोई योद्धा एक ऐसे उद्‌देश्य के लिए अपने जीवन का उत्सर्ग कर देता है जिसे वह सही समझता है—क्या इनमें से कुछ भी अच्छा या बुरा है, सुंदर या कुरूप है; यह जीवन है या मृत्यु?

पृथ्वी पर मात्र मनुष्य ही जीवधारी नहीं है। पशु भी कष्ट झेलते, भय में जीते, और शिकारी पशुओं का आहार बनते हैं, जबकि ये शिकारी पशु भी अन्य पशुओं का शिकार होते हैं। प्रत्येक जीवित प्राणी सावधान रहता है। बाघ जो है वह हिरण पर घात लगाता है, बिल्ली चूहे पर झपटती है, मकड़ी अपने जाले पर मक्खी की ताक में रहती है...और मनुष्य जीविका कमाने के लिए कड़ा श्रम करते और दिवालियापन या बेरोजगारी से डरते हैं। यद्यपि हम सभी इसी संसार में रहते हैं, फिर भी हमारी भूमिका एक-सी नहीं होती। हर कोई प्रकृति और समाज में सार्थकता नहीं ढूँढ़ पाता, जो हमारे सम्मुख अपने अद्‌भुत और भयानक दोनों ही चेहरे प्रकट करते हैं।

अन्याय, पीड़ा, अभागापन, बच्चों और वयस्कों की मृत्यु, विनाशकारी अेर घातक ज्वार-भाटे, भूकम्प, बाढ़, सूखा, और रोग : इस सबका मतलब क्या है? युद्ध पूर्वग्रह, धर्मांधता और अपराध : ये संसार में विद्यमान क्यों हैं? और हमारे हृदयों में घृणा क्यों विद्यमान है?

प्रज्ञावान का कोई विशिष्ट मत नहीं होता। वह बस दुख को मिटाने और सुख को बढ़ावा देने का प्रयत्न करता है। वह अच्छा-बुरा की किसी धारणा पर नहीं बल्कि उस पर निर्भर करता है जो सत्य और न्यायपूर्ण है। जो कुछ सामने आता है, वह जानता है कि सब में मुक्ति का कारण, और सीखने का अवसर बनने की सम्भावना होती है।

तुम क्या कर सकते हो?

गौरैया पक्षियों का एक जोड़ा मेरे कमरे के दरवाजे के ऊपर हवा की आवाजाही के लिए बने एक छेंद में घोंसला बनाकर रह रहा था। मैं प्रसन्न था। ये पक्षी सारा दिन अपने घोंसले में आते-जाते उड़ते रहते थे, चहचहाते, पंख फड़फड़ाते थे। इससे मेरा मन अत्यधिक आनन्दित होता था। एक सुबह मैं सोकर उठा तो मुझे यह देखकर आश्चर्य हुआ कि एक बिल्ली उनके दो बच्चों को खा रही थी जो उस दिन पहली बार घोंसले से बाहर आए थे। मुझे देखकर बिल्ली भाग गई। मगर उनमें से एक को वह आधा खा गई थी और वह मर चुका था, जबकि दूसरा घायल था और उसका एक पंख टूट गया था। मैंने उसकी देखभाल का भरसक प्रयास किया। वह नन्हा शावक उड़ने की लगातार चेष्टा कर रहा था। किन्तु वह सफल नहीं हो रहा था। यह घोर चेष्टा उसे मारे दे रही थी। मैंने उसे बाँधकर एक घोंसले में रख दिया जो मैंने पुराने मुड़े-तुड़े अखबारों से तैयार किया था, और उसे थोड़े दाने के साथ एक छोटी अलमारी में पास ही रख दिया। दूसरे दिन, मैंने देखा कि चींटियां उसे जीवित ही खा गई थी। बस उसके पर बचे थे।

स्वामी विचारव ने एक बार पूछा था, "जब तुम्हें मकड़ी के जाले में मक्खी दिखाई दे तो तुम क्या करोगे? उसे खाए जाने के लिए छोड़ दोगे या उसे मुक्त कर दोगे और मकड़ी को उसके भोजन से वंचित कर दोगे?" फिर स्वामी ने स्वयं ही अपने प्रश्न का उत्तर दिया : "हस्तक्षेप मत करो। परन्तु शपथ लो कि केवल दूध और फलों का सेवन करोगे और स्वयं भक्षक नहीं बनोगे।"

"क्योंकि जिस सत्कर्म को मैं करना चाहता हूँ उसे नहीं करता, फिर जिस कुकर्म को करना नहीं चाहता उसी को करता हूँ।" (बाइबिल) प्रेरित पौलुस 7:19

असंग

करुणा बौद्ध धर्म के दो स्तंभों में से एक है। करुणा एक मानसिक प्रवृत्ति है। करुणा करने वाला यह जानते हुए दूसरों पर करुणा करता है कि समस्त सचेतन जीव तब तक दुख के अधीन होते हैं जब तक वे मुक्ति और बोधि प्राप्त नहीं करते। करुणा का आशय यह भी है कि उन्हें दुख से मुक्त करने और बोधि प्राप्त करने के लिए हर सम्भव प्रयास किया जाए। यह एक प्रकार की साधना भी है : यह बढ़ती जागरुकता है कि सभी जीव एकमेव सागर की लहरों के समान हैं, या उस विशिष्ट और स्थिर चेतना का प्रत्यक्ष ज्ञान हैं जिससे सब कुछ उत्पन्न होता है।

गुरपा पर्वत की एक गुफा में, असंग एक लम्बे एकान्तवास में मैत्रेय साधना में लीन था। उसे आशा थी कि इस प्रकार उसका साक्षात्कार सर्वप्रेमी बुद्ध से हो जाएगा। सात वर्षों की लगन और अप्रमाद के पश्चात जब उसे कोई प्रगति दिखाई नहीं दी तो वह निराश हो गया और उसने अपना एकान्तवास और वह पर्वत छोड़ दिया।

नीचे आते हुए उसने एक आदमी को देखा जो एक कपड़े से एक लोहे को चमका रहा था।

"तुम यह क्या कर रहे हो?" उसने उस आदमी से पूछा।

"मैं इस लोहे से एक सुई बना रहा हूँ," उस आदमी ने उत्तर दिया। "मैं इसे छोटा करने के लिए चमका रहा हूँ।" इस आदमी के संकल्प से चकित, असंग सोचने लगा : "इतनी छोटी-सी बात के लिए इतनी उमंग! इस आदमी की तुलना में मुझमें सचमुच संकल्प की कमी है।" उसे यह आभास हो गया कि ऐसी लगन से वह सचमुच बोधि प्राप्त कर लेगा। तब वह वापस गुफा में गया और मैत्रेय साधना में फिर से लीन हो गया।

इस प्रकार एकान्तवास में तीन वर्ष और बीत गए और फिर भी उसे कोई प्रगति नहीं दिखाई दी। पूरी तरह से हताश, उसने एक बार फिर गुफा त्याग देने का निर्णय किया। इस बार, पर्वत की तलहटी में, उसने एक आदमी को देखा जो एक बड़ी-सी शिला को पक्षी के पर से रगड़ रहा था।

"तुम यह क्या कर रहे हो?"

मैं इस चट्टान की रगड़कर घिस रहा हूँ क्योंकि यह मेरे घर पर छाया डाल रही हैं।

एक बार फिर असंग ऐसा संकल्प देखकर चकित रह गया। "ऐसी तुच्छ इच्छा के लिए ऐसा प्रयास!" उसने सोचा। "बोधि प्राप्त करने के लिए, मुझमें इससे अधिक प्रतिबद्धता होनी चाहिए। और यह और भी आसान है।" अतः वह अपनी एकान्त गुफा में लौट आया और फिर से अपनी मैत्रेय साधना में जुट गया। इस प्रकार उसने तीन वर्ष और व्यतीत कर दिए।

ये तीन वर्ष बीत जाने पर भी उसे कोई बदलाव नहीं दिखाई दिया तो उसे फिर हताशा हुई और वह गुफा छोड़कर चल दिया। पर्वत से उतरते हुए, उसे एक बूढ़ा अशक्त कुत्ता मिला जिसका शरीर घावों से भरा था, जिनमें कीड़े पड़ गए थे। उसमें कुत्ते के प्रति गहन करुणा का भाव जागा, और उसका मन हुआ कि वह कुत्ते की सहायता करे। किन्तु उसे कीड़ों के प्रति भी गहन करुणा की अनुभूति हुई। यदि वह कीड़ों को अपनी उंगलियाँ से हटाने की चेष्टा करता तो, कीड़े कुचल जाते, और यदि वह उन्हें भूमि पर छोड़ देता तो, वे मर जाते। अतः उसने उन्हें रखने के लिए अपनी जाँघ से माँस का एक बड़ा-सा टुकड़ा काटा और यह आशा की कि वह उन्हें नुकसान पहुँचाए बिना निकाल लेगा। इसलिए पहले उसने अपनी घिन पर काबू पाया, अपनी आँखें बंद कीं, और चाटने के लिए आगे झुका।

इस क्षण उसे आभास हुआ कि उसने अपना लक्ष्य पा लिया है।[74]

ब्राह्मण और वेश्या

एक ब्राह्मण और एक वेश्या एक ही गली में एक-दूसरे के पड़ोस में रहते थे। ब्राह्मण अपनी भक्ति के लिए बहुत विख्यात था; वह सारा दिन अनन्त कर्मकाण्ड करने के लिए प्रसिद्ध था। वह तप और संयम का जीवन जीता था। वह कभी हँसता नहीं था। वह स्वयं को महान संत समझता था और भक्तों को ईश्वर की ओर ले जाने वाले उस मार्ग का उपदेश देता था जो केवल त्याग और समर्पण से प्रशस्त था।

वेश्या अपनी जीवनचर्या के लिए अपना शरीर बेच रही थी। एक दिन, ब्राह्मण उसे उपदेश देने उसके घर गया।

"तुम एक बड़ी पापिन हो", ब्राह्मण ने कहा। "तुम्हारे पापकर्मों की संख्या बढ़ती ही जा रही है; मुत्यु के पश्चात एक भयंकर परिणाम तुम्हारी प्रतीक्षा में है।"

उस स्त्री ने पूरे मन से प्रायश्चित किया। उसने ईश्वर से क्षमा याचना की। किन्तु, क्योंकि उसके पास कोई और जीविका नहीं थी, इसलिए उसने वेश्यावृत्ति जारी रखी। मगर उसने एक क्षण भी ईश्वर से क्षमा-याचना करना, विनती करना नहीं छोड़ा।

ब्राह्मण और वेश्या की मृत्यु एक ही दिन हुई।

मृत्युदेव यम उस स्त्री की आत्मा लेने आए और उसे स्वर्ग की ओर ले गए जबकि ब्राह्मण की आत्मा को ले जाकर उसे नर्क में फेंकने के लिए दैत्य पहुँचे।

"यह क्या बात है?" ब्राह्मण चिल्लाया। "अवश्य तुमसे कोई भूल हुई है। मैंने पवित्र जीवन जिया है। मैं नर्क क्यों जाऊँगा जबकि पाप का जीवन जीने वाली यह स्त्री स्वर्ग जा रही है?"

"क्योंकि," दैत्यों ने उत्तर दिया, "यह स्त्री अपना शरीर बेच रही थी, किन्तु वह सदा ईश्वर के विषय में सोचती रहती थी और उनसे क्षमा-याचना करती रहती थी। इसके विपरीत तुम जब पूजा-पाठ करते थे तब भी तुम्हारा मन सदा तुम्हारी पड़ोसन के पाप कर्म में लगा रहता था। तुम्हें बस पाप दिखाई देते थे, तुम बस पापों के विषय में सोचते थे, इसलिए तुम अब वहाँ जा रहे हो जहाँ पापी जाते हैं।"[75]

हम क्या बनेंगे, इसका निर्धारण हमारे कर्मों से नहीं, हमारे विचारों से होता है।—रामकृष्ण

कलि

विश्व की रचना के समय, भयंकर दैत्य कलि ने पृथ्वी के राजा परीक्षित से पूछा कि पृथ्वी पर उसकी जगह कहाँ होगी।

परीक्षित ने कहा, "पृथ्वी पर तुम्हारे लिए कोई जगह नहीं है।"

किन्तु कलि ने याचना की :

"इतने क्रूर मत बनें। आप साक्षात् न्याय और दया की प्रतिमूर्ति हैं, मुझ पर दया करें। मुझे एक आश्रय चाहिए।"

अतः परीक्षित ने उसे शराबखाने, वेश्यालय, जुआघर और बूचड़खाने दे दिए। कलि ने परीक्षित को सविनय धन्यवाद दिया किन्तु और भी जगहों की याचना की। परीक्षित ने उसे झूठ, घमंड, वासना, अज्ञान और बैर दे दिए। कलि ने सविनय उन्हें स्वीकार करते हुए कहा, "क्या इस संसार में मेरे लिए कोई सम्मानजनक स्थान नहीं है?" पृथ्वी के राजा ने अंततः कहा, "सोने में वास करो! सोना मनुष्यों को बर्बाद कर देता है।"

वाणी का चोर

एक दिन चोरों की प्रतिष्ठित जाति के एक प्रतिष्ठित चोर प्रणेश की भेंट व्यापारियों की प्रतिष्ठित जाति के प्रतिष्ठित व्यापारी कुंडपुरा से हुई। वे अपने-अपने व्यवसाय के विषय में बतियाने लगे :

"आजीविका के लिए चोरी करना मुझे बहुत जोखिम भरा लगता है", व्यापारी कुंडपुरा ने कहा, "एक न एक दिन तुम पकड़े जाओगे और तुम्हारे शिकार बदला और न्याय की माँग करेंगे।"

"चोरी मात्र व्यवसाय नहीं है, यह एक कला है," चोर प्रणेश ने सज्जनता से कहा। "अनादि काल से ही हमारे परिवार में पिता से पुत्र को चौर्य कला की दीक्षा मिलती रही है : बिना नजर में आए चोरी करने की कला, ऐसे चोरी करना कि भागना न पड़े, यदि आवश्यक हो तो खतरनाक स्थितियों से चुपके से निकल जाने की कला, और ऐसे चोरी करना कि उसमें कभी झूठ न बोलना पड़े।"

"क्या! तुम चोरी करते हो पर झूठ नहीं बोलते!" व्यापारी कुंडपुरा ने चकित होते हुए कहा। "इससे बढ़कर तो कुछ हो ही नहीं सकता। व्यापार में हम इसके विपरीत करते हैं। यह सच है कि हम कुछ चुराते नहीं है, पर जहाँ तक अपने माल के बारे में बढ़ा-चढ़ाकर बोलने का सवाल है, लम्बे की जगह पतले चावल देने का सवाल है, दालों की उत्तमता के बारे में झूठ बोलने का सवाल है, तोल में हेरफेर करने का सवाल है, अथवा शुद्ध सोना बताकर सोने का पानी चढ़ी धातु और कभी-कभी ताँबा बेच देने का सवाल है...देखो, हमें आजीविका चलानी है।"

"यदि ऐसा है तो", चोर प्रणेश ने क्रोध में कहा, "तुम तो चोर से भी बढ़कर हो, ठग से भी बढ़कर हो...तुम धोखेबाज हो। जब मैं चुराता हूँ तो, मैं बस वही लेता हूँ जो लेता हूँ उससे अधिक कुछ नहीं लेता। जबकि तुम जब झूठ बोलते हो तो, तुम वाणी की चोरी करते हो, और वाणी की चोरी करके तुम पूरे संसार को चुराते, नष्ट और तहस-नहस कर देते हो।"

और उसने पवित्र ग्रन्थ से यह उद्धृत किया : "सब कुछ वाणी से निर्धारित होता है। वाणी सब का मूल है। सब कुछ इससे निकलता है। जो वाणी को लेकर बेईमान होता है वह हर मामले में बेईमान होता है।"[76]

अच्छाई बनाम बुराई

तुमने सुना है कि कहा गया था, "अपने पड़ोसी से प्रेम करना और अपने शत्रु से द्वेष रखना।" किन्तु मैं तुमसे कहता हूँ, "अपने शत्रुओं से प्रेम करो और अपने सताने वालों के लिए प्रार्थना करो।"–(बाइबिल) मत्ती 5:43-44

संध्या के समय, फादर गीशार अपने पल्लीवासियों के साथ कैफे में बैठे अखबार पढ़ रहे थे।

उस दिन दो खबरों ने उनका ध्यान खींचा। पहली खबर में, तीन लोगों ने बैंक के खजांची से बंदूक की नोक पर नगदी लूट ली। दूसरी खबर में, दो लिफ्ट माँगने वालों ने कार वाले को लूट लिया।

जब फादर से इस बारे में राय माँगी गई तो, उन्होंने कहा : "यहाँ मुझे दो बहुत भिन्न अपराध दिखाई देते हैं।

पहला सम्पत्ति के विरुद्ध अपराध है यह स्पष्ट है। गुंडों ने अपना इरादा नहीं छिपाया। बैंक इस तरह की दुर्घटनाओं के लिए तैयार होते हैं और लूटपाट की वारदातों से उन्हें अपनी सुरक्षा व्यवस्था बेहतर करने में मदद मिलती है।

दूसरा अतिथि-सत्कार के विरुद्ध अपराध है और यह अपराध बैंक पर हमले से बदतर है। उदार चालक ने उन लोगों को अपनी कार में शरण दी। उसे यह विश्वास कराया गया कि वह उन लोगों की मदद कर रहा है जिन्हें यात्रा के साधन की जरूरत है। वह भलाई कर रहा था और उसे फैलाने में योगदान दे रहा था। उसे लूटकर हमलावारों ने उसके बटुए के अलावा भी बहुत कुछ लूट लिया है; उन्होंने प्रत्येक व्यक्ति से अच्छाई लूट ली है।

बुराई को नुकसान की कीमत से नहीं, उसके परिणामों की कीमत से आँका जाता है। इस मामले में, परिणाम क्या हैं? यह चालक अपनी कार में लिफ्ट माँगने वालों को अब कभी नहीं बैठाएगा, और जिन लोगों को उसके साथ हुई इस वारदात के बारे में पता चलेगा वे अब अजनबी लोगों का सत्कार करने से कतराएँगे।

जो कोई भी अच्छाई का बदला बुराई से देता है वह उदारता की भावना और साझेदारी के आदर्श को ध्वस्त करता है; वह भरोसे को क्षीण करता और उसकी प्रेरणा बाधित करता है। वह स्वार्थीपन को उचित ठहराता है जिसकी उसे जरूरत

नहीं होती। भलाई के बदले बुराई करना मात्र एक कुकृत्य नहीं है, यह नैतिक गिरावट है।"

"फादर, क्या आप अब भी लोगों को लिफ्ट देंगे?"

"बिल्कुल! यदि हम सभी अपरिचितों पर सन्देह करने लगे तो, हम परोपकर कैसे कर पाएँगे? और जब हमें मदद की जरूरत होगी तो, हमारी मदद कौन करेगा? बुराई से लड़ने में अच्छाई के अतिरिक्त कुछ नहीं होता।"

पहले कौन?

एक बार की बात है, कौशलराज अपने वाहन और दलबल सहित काशीराज के वाहन और दल-बल के सामने एक संकरे मार्ग पर आ गए। मार्ग इतना संकरा था कि दोनों वाहन एक साथ नहीं निकल सकते थे।

"रास्ते से हट जाओ!" कौशलराज के चालक ने काशीराज के चालक से चिल्लाकर कहा।

"नहीं, तुम पीछे हटो!" दूसरा चालक चिल्लाया।

"मैं कौशलराज को ले जा रहा हूँ।"

"और मैं काशीराज को ले जा रहा हूँ! रास्ते से हट जाओ।" उन्होंने विवाद सुलझाने का कोई रास्ता ढूँढ़ने की चेष्टा की। काशीराज के चालक ने कौशलराज की आयु पूछी, पर वे दोनों एक ही वर्ष में जन्मे थे। चालकों ने उनकी जाति और परिवार के आधार पर समाधान करना चाहा, किन्तु वे सम्मान और प्रतिष्ठा में भी बराबर थे। और, दोनों ही अपनी-अपनी प्रजा के प्रिय थे।

"तुम्हारे स्वामी में कौन-से नैतिक गुण हैं?" तब काशीराज के चालक ने कौशलराज के चालक से पूछा।

"वह अपराधियों के साथ कठोरता से पेश आते हैं और विनम्रों के साथ सज्जनता का व्यवहार करते हैं। वह भले लोगों के प्रति दयालु हैं और बुरे लोगों के प्रति निर्दयी।" "अगर उनकी बुराईयाँ उनकी अच्छाइयों का पैमाना हैं तो उनकी बुराईयाँ कितनी बड़ी होंगी!" काशीराज के चालक ने कहा। "हमारे महाराज क्रोध को दयालुता से, बुराई को अच्छाई से, लोभ को उदारता से जीतते हैं। और झूठ का जवाब वह केवल सत्य से देते हैं।"

कौशलराज ने जब यह सुना तो, वह अपने वाहन से उतर आए और अपने दल-बल को आज्ञा दी कि वे मार्ग छोड़ दें।[77]

शैतान पहले साधु था

एक दिन, अल्लाह ने पृथ्वी पर एक मनुष्य को रचने की योजना बनाई। उसने अपने देवदूतों को इसकी जानकरी दी, पर उन्होंने उसके इरादों की निन्दा की।

"आप किसी ऐसे की रचना करने जा रहे हैं जो गलत काम करेगा और खून बहाएगा जबकि हम आपकी स्तुति करते और आपकी पवित्रता का बखान करते हैं।"

"मैं जो जानता हूँ वह तुम नहीं जानते", अल्लाह ने उनसे कहा।

जब अल्लाह ने पहले मनुष्य को बना लिया तो, उसने देवदूतों को आदेश दिया कि वे इस मनुष्य के समक्ष दंडवत् हों। शैतान को छोड़कर शेष सभी ने इस आदेश को माना। शैतान ने यह कहकर ऐसा करने से मना कर दिया कि: "मैं उनमें से नहीं हूँ जो एक मनुष्य के आगे झुके।"

"जब मैं तुम्हें आदेश दे रहा हूँ तो तुम क्यों दंडवत् नहीं करते?" अल्लाह ने शैतान से पूछा।

शैतान जानता था कि ईश्वर एक है, उसके बराबर कोई नहीं है, और किसी को उसके सिवाय किसी और के आगे दंडवत् नमन नहीं करना चाहिए...स्वयं उसके आदेश पर भी नहीं।

"मैं मनुष्य से बहुत बेहतर हूँ", शैतान ने उत्तर दिया। "आपने मुझे आग से बनाया जबकि उसे मिट्टी से। आपको उसमें या उसके अधिकांश वंशजों में कृतज्ञता नहीं मिलेगी।"

अतः अल्लाह ने उसे निर्वासित कर दिया :

"ऐसा अभिमान लेकर तुम यहाँ नहीं रह सकते। दूर हो जाओ मेरी नजरों से, अब से तुम्हारी गिनती निम्नतर जीवों में होगी।"

यह भर्त्सना सुनकर शैतान ने कहा:

"अगर मैं दोनों लोकों में अभिशप्त रहूँ तब भी मेरे अन्दर जल रही प्रेमाग्नि ठंडी नहीं पड़ेगी। मैं अल्लाह को छोड़ किसी और के आगे सिर नहीं झुकाऊँगा, भले ही इसके लिए मुझे अनन्त काल तक अभिशप्त रहना पड़े। मगर क्योंकि आप मेरी हस्ती कम कर रहे हैं तो, मैं उसके वंशजों पर राज करूँगा जिसे आप मुझसे अधिक सम्मान दे रहे हैं। मैं उन पर नजर रखूँगा, उनके आगे-पीछे चलूँगा,

उनके दाहिने– बाएँ रहूँगा।"

तभी से, शैतान को मानवता के पतन के लिए जिम्मेदार और बुराई और पाप का कारण माना जाता है।

किन्तु अभी हमें यह याद रखना होगा कि शैतान ने अल्लाह के प्रति अपने प्रेम के कारण ही एक मनुष्य को सम्मान देने से मना कर दिया था और अपनी निष्ठा प्रमाणित करने के लिए उसने आदेश के पालन से मना कर दिया। उसकी प्रीति और भक्ति पूर्ण और प्रखर थी, और अनन्त निर्वासन का दण्ड भी उसे डिगा नहीं पाया। कौन दावा कर सकता है ऐसी भक्ति का? इसकी तुलना में बड़े से बड़े संत भी फीके पड़ जाते हैं।[78]

फल की अपेक्षा मत करो

अपने कर्मों के फल के प्रति समस्त आसक्ति त्यागकर सदा सन्तुष्ट, अवलम्ब अथवा संरक्षण न चाहते हुए किसी पर निर्भर न करके, और कर्मरत रहते हुए भी, वह बिल्कुल कुछ नहीं करता, यह भगवद्गीता का ज्ञान है।

बौद्ध केन्द्र में एक मन्दिर बन रहा था...शिष्यों, अतिथियों और मित्रों को उसके निर्माण में हाथ बँटाने के लिए आमन्त्रित किया गया था : "मन्दिर एक हजार वर्ष तक रहता है। जो इसके निर्माण में सहायता करते हैं उन्हें एक हजार वर्ष तक पुण्य और सत्कर्म प्राप्त होंगे।" रिनपोचे ने सहायकों की उस भीड़ से कहा था जो यह मानकर आनन्दित थे कि वे थोड़े शारीरिक श्रम की एवज में अपने लिए भावी जन्मों में सुख सुनिश्चित कर रहे थे, और इसके लिए उन्हें स्वयं पर कोई वास्तविक कार्य नहीं करना पड़ रहा था और न ही कोई गहन आत्मिक रूपान्तरण करना पड़ रहा था।

दूसरों की तुलना में थोड़ा अधिक बुद्धिमान एक शिष्य जाकर अलग से रिनपोचे से मिला, और उनसे बोला : "मन्दिर के निर्माण में सहायता करना निश्चय ही एक सत्प्रयास है और कभी-कभी इसमें मजा भी आता है, किन्तु इसे 'पुण्य' के लिए अथवा किसी अगले जन्म में लाभ के लिए करना, क्या यह थोड़ा तुच्छ नहीं है? जो व्यक्ति वेतन के लिए, किसी तत्काल लाभ या भावी फल के लोभ में कोई सत्कार्य करता है, वह अपने कार्य को वह महत्त्व देता है जिसकी अपेक्षा वह उससे करता है किन्तु भुगतान अथवा पुरस्कार की अपेक्षा न करते हुए जो कार्य किया जाता है वह अनमोल हो जाता है और उसका मूल्य अनन्त होता है। आपको चाहिए कि आप हरेक को बिना कुछ दिए, बिना किसी पुरस्कार के, और बिना किसी भावी सत्कर्म के मन्दिर के निर्माण में आमन्त्रित करें, क्योंकि कोई प्रतिदान न होने से कर्म एक सच्ची भेंट हो जाता है और उसमें असीम पुण्य होता है! अधिक बड़ी भलाई वह होती है जिसके लिए आप कोई अपेक्षा नहीं करते, क्योंकि यह प्राप्त करने वाले के लिए बाध्यकारी नहीं होती, और यह भलाई करने वाले को मुक्त कर देती है।"

गुरु ने उससे सहमति जताई :

"कुछ लोग पैसे के लिए यह करते हैं, अन्य लोग पुण्य के लिए या मान के लिए, या फिर मित्रतावश भलाई करते हैं। हर कोई अपनी सामर्थ्यानुसार करता है... किन्तु बिना किसी अपेक्षा के भलाई करना सचमुच बेहतर होता है।" और रिनपोचे ने थोड़ा पाखण्डपूर्वक आगे कहा : "औरों से यह मत कहना। पर्वत शिखर पर पहुँचने के अनेक मार्ग होते हैं।"

तिब्बती बौद्ध धर्म में किसी अभ्यास के प्रारम्भ और अन्त में यह समर्पण होता है। दान और अन्य पारमिताओं के अभ्यास से जनित सत्कर्म समस्त जीवों के हितार्थ बोधि में फलित हो।

"इस कर्म को करने में जो पुण्य मैंने किया, उसके माध्यम से मैं समस्त जीवों को दुख से मुक्त करूँ। मैं समस्त पुण्यों को बोधि-लाभ को समर्पित करता हूँ।"

बोधि की कामना स्वयं के नहीं अपितु समस्त जीवों के लिए होती है, अतः यह एक निःस्वार्थ कामना होती है जिसका अर्थ होता है कि कामना मुक्ति का बीज बन सकती है, और इस प्रकार वह बोध का कारण भी बन सकती है।

भिक्षा

जब आप किसी भिखारी को पैसे देते हैं तो, यह मत सोचिए कि वह इसके योग्य है या नहीं, वह इसका 'सही' उपयोग करेगा या नहीं। किसे पता होता है कौन अच्छा है कौन बुरा? ईश्वर के समान बनिए जो अच्छे-बुरे सभी पर सूरज चमकाता, और धर्मी-अधर्मी सभी पर मेह बरसाता है।

एक निर्धन और भूखे व्यक्ति वु हो ने देखा कि निकट के मठ में रह रहे भिक्षुओं को भिक्षा मिल रही थी। उपासक लोग, चीवर धारण किए भिक्षुओं को उदारतापूर्वक भिक्षा ही नहीं दे रहे थे अपितु उनका सम्मान भी कर रहे थे और उनको पूज्य भी मान रहे थे। किन्तु वु हो को वे कुछ भी नहीं देते थे।

भिक्षु गण कभी-कभी अपने भोजन में से थोड़ा-सा निर्धनों को दे देते थे, किन्तु निर्धनों की संख्या बहुत अधिक थी और वु हो को विरले ही कुछ मिल पाता था।

एक दिन वु हो ने भिक्षु का चीवर पहन लिया, और तब उसे उसके हिस्से की भिक्षा भी मिली और उस पर ध्यान भी दिया गया। फिर तो वह ऐसा ही करने लगा और एक दिन उसने वास्तव में भिक्षु बनने का निर्णय कर लिया। उसने दीक्षा ली और एक प्रगाढ़ भक्त बन गया। वह युआन की त्सू का शिष्य हुआ।

एक सुबह शीत ऋतु में, वु हो और उसका गुरु युआन की त्सू कंपकंपाती बारिश में सड़क पर चले जा रहे थे। रास्ते में उन्हें एक भिखारी मिला और उन्हेंने अपना सारा भोजन उसे दे दिया। उन्हें एक और भिखारी मिला और उसे उन्होंने अपना सारा पैसा दे दिया। उन्हें ठंड से ठिठुरता एक आदमी मिला और उन्होंने उसे अपने कम्बल दे दिए।

एक गाँव में पहुँचकर वे द्वार खटखटाते और भिक्षा माँगते फिरे।

वु हो ने पूछा, "गुरु जी, यदि बाद में हमें जाकर भिक्षा माँगनी ही थी तो हमने अपना सब कुछ दे क्यों दिया?"

"हम भिक्षु हैं," युआन की त्सू ने उत्तर दिया, "और हमने केवल भिक्षा पर जीवन यापन की शपथ खाई है। जब हम भिक्षा माँगते हैं तो हम अपनी शपथ का पालन करते हैं। हमने यह भी शपथ ली है कि हम कोई सम्पदा नहीं रखेंगे।

इस प्रकार हम इस वचनबद्धता का सम्मान करते हुए वह सब भी दान कर देते हैं जो हमें मिलता है।''

तब वु हो को उन शपथों का अर्थ समझ में आया जो उसने ली थीं, और कहा :

''यह सही है, गुरु जी! उपासक लोग चुनते हैं कि वे अपने सत्कर्म किसे अर्पित करेंगे। वे भिक्षुओं को अधिक उदारता से देते हैं, और बदले में हम उनकी दी हुई वस्तुओं को बाँट देते हैं।''

उसने अपने गुरु को नमन करते हुए आगे कहा : ''हमारी एकमात्र सम्पदा हमारे प्रण हैं। वही हमारे असली गुरु हैं।''

प्रेम चुनता नहीं। ईश्वर प्रत्येक में वास करता है। हम किसे सहायता दें, जब हम यह चयन न करके दूसरों को भोजन देते हैं तो, यह ईश्वर की सेवा करने के समान होता है—रामकृष्ण।

जिसने पत्थर फेंका और जिसे पत्थर लगा

राजा बगीचे में विश्राम कर रहा था। उसके साथ उसके मन्त्रिगण और दरबारी भी थे। तभी एक निर्धन व्यक्ति वहाँ से निकला। उसे राजा या उसके दरबारियों के वहाँ होने का कोई अनुमान नहीं था। उसे तो बस बगीचे में पके हुए फलों से लदे पेड़ दिखाई दे रहे थे। वह बहुत भूखा था। उसने आम के पेड़ पर पत्थर फेंका। तीन स्वादिष्ट आम भूमि पर आ गिरे जिन्हें उसने उठा लिया।

उसने जो पत्थर फेंका था वह राजा के सिर में लगा।

सुरक्षाकर्मियों और दरबारियों ने तुरन्त ही उस आदमी को पकड़ लिया। सिपाही सोच रहे थे कि उसने राजा की जान लेने के इरादे से पत्थर फेंका था। उन्होंने राजा के प्रति अपने उत्तरदायित्व को जताने के चक्कर में वहीं मृत्युदण्ड सुना दिया।

किन्तु न्यायी और बुद्धिमान राजा ने इस पर आपत्ति की।

राजा ने कहा : "इस निर्धन और भूखे व्यक्ति ने कुछ फल खाने के इरादे से आम के वृक्ष पर पत्थर फेंका। आम के वृक्ष ने उसे कुछ फल दे भी दिए। जिस वृक्ष में करुणा नहीं है, उस वृक्ष से व्यक्ति को एक दिन का योजना मिला सकता है। तो क्या करुणा से युक्त मनुष्य मृत्युदण्ड दे सकता है नहीं।

और तब राजा ने अपने कोष मन्त्री को आज्ञा दीः

आज से मृत्युपर्यंत इस व्यक्ति को प्रति सप्ताह एक स्वर्ण मुद्रा दी जाए।"[79]

एकजुटता

एक मिशनरी सुसमाचार का प्रचार करने, भले-बुरे की शिक्षा देने और अपना ईश्वर का ज्ञान बाँटने के इरादे से अफ्रीका गया। वहाँ उसका काम था बच्चो को सम्भालना। वह उन्हें धर्म की प्रश्नोत्तरी सिखाने लगा और उनका व्यायाम शिक्षक भी बना।

एक सुबह वह चाकलेट का डिब्बा लेकर स्कूल पहुँचा। बच्चों को दौड़ के लिए तैयार करने के अभिप्राय से उनसे कहा :

"वहाँ उस पेड़ को देखो। जब मैं तीन तक गिनूँ तो, तुम तेजी से दौड़ पड़ना। जो पेड़ के पास सबसे पहले पहुँचेगा, वही जीतेगा और उसे चाकलेट का यह डिब्बा मिलेगा।"

मिशनरी ने तीन तक गिनते हुए संकेत दिया। तब बच्चों ने अनायास, एक-दूसरे से कुछ भी न कहते हुए, एक-दूसरे का हाथ पकड़ा और एक साथ दौड़ते हुए पेड़ तक जा पहुँचे।

ये बच्चे ऐसा क्या समझते हैं जो हम नहीं समझते? उन्हें बचपन से ऐसा क्या बताया गया था कि उन्होंने वहाँ स्पर्धा से मना कर दिया जहाँ विजेता और पराजित होते हैं? वे स्वयं को एक-दूसरे की खुशी के लिए जिम्मेदार समझते थे। क्या हम उनका अनुसरण और अनुकरण कर सकते हैं? क्या हम एक-दूसरे का हाथ पकड़ कर यह सुनिश्चित कर सकते हैं कि इस संसार में कोई हारने वाला नहीं होगा?[80]

सौभाग्य से जो मिला है उसे फैलाओ

महान सूफी कवि रूमी दिन के चटक उजाले में एक जली लालटेन लेकर घूम रहे थे। जब आने-जाने वालों ने उनसे इस विचित्र व्यवहार के विषय में पूछा तो, उन्होंने उत्तर दिया : "मैं एक ऐसे जीवित व्यक्ति की तलाश में हूँ जिसमें सन्तों की भावना हो।"

एक पत्रकार ने एक गैर-सरकारी संगठन के स्वयंसेवी का साक्षात्कार लिया।

"तुम्हें तुम्हारे काम की प्रेरणा किससे मिलती है? क्या तुम ईश्वर में विश्वास करते हो? क्या तुम्हारे कोई राजनीतिक आदर्श हैं?"

"नहीं", स्वयंसेवी ने उत्तर दिया। आप गरीबों की मदद करने और तंगहाली के विरुद्ध काम करने का प्रयास इसलिए नहीं करते कि आप ईश्वर को गौरवान्वित करना चाहते हैं या किसी विचारधारा का प्रयास करना चाहते हैं या अपना स्वाभिमान बनाना चाहते हैं, बल्कि आप अपने भयों, अपनी असहायता और सीमाओं का सामना करने के लिए ऐसा करते हैं। निर्धन हमें दिखाते हैं कि हमारी सम्पन्नता भंगुर है और दुखद घटनाएँ अचानक और अप्रत्याशित होती हैं।

सम्पन्न होने का, जीवन की समस्त आवश्यकताएँ पूर्ण होने का, आवश्यकता से अधिक मिला होने का, स्वस्थ और सुरक्षित होने का, और प्रेम और सम्मान मिले होने का जो सौभाग्य हमें प्राप्त होता है, उसके साथ कर्त्तव्य भी जुड़ा होता है : सौभाग्य हमें इसलिए चुनता है ताकि हम उसे जीवन्त करें और फैलाएँ। सच है, भाग्य कोई व्यक्ति नहीं है और उसकी अपनी कोई इच्छा नहीं होती। यह एक अवधारणा है जिसका उपयोग हम यह कहने के लिए करते हैं कि हमने यह समझाने की कोशिश छोड़ दी है कि भाग्य या नियति ने क्यों हमें एक समृद्ध परिवार में, एक शान्तिपूर्ण देश में, दूसरों की अपेक्षा अधिक सुखी परिस्थितियों में जन्म दिया है.... यद्यपि यह अव्याख्य है, फिर भी संयोग से हमें जो मिला है, उसमें कई गुना होने की अपार सम्भावना है। जिसके पास है यदि वह उसमें से थोड़ा दे दे; जो समर्थ है यदि वह थोड़ी सहायता कर दे; जो लोग कुछ जानते हैं यदि वे अपने ज्ञान को बाँटे और जिन्हें दिया गया है, जिनकी सहायता की गई है और जिन्हें सिखाया गया है, यदि वे बारी-बारी से दूसरो को दें, उनकी सहायता करें और उन्हें

सिखाएँ और. उसी कर्तव्य का पालन करें तो, हमारे आस-पास कोई निर्धन और दुखी नहीं होगा।

भाग्य को जब जानबूझकर फैलाया और बढ़ाया जाता है तो, "यह संयोग के संकीर्ण दायरे को पार कर जाता है और इतना फैलता जाता है कि प्रत्येक को छू लेता है। दानशीलता से अंकुरित होकर, भाग्य पनपता और फूलता-फलता है, और यह तरीका होता है न्याय सृजित करने का जिसे भाग्य नहीं स्थापित कर सकता।"

अपने पड़ोसी के साथ...

मेरा सहयात्री और मैं एक धूल भरी सड़क के तपते गरम डामर के किनारे कहीं भी ले जाने वाली बस की बाट जोह रहे थे। कुछ बसें वहाँ से निकल रही थीं पर वे, हिन्दुस्तान की अन्य बसों की तरह, दरवाजे तक ठसाठस भरी थीं।

धूप हमारे शरीर को छलनी कर रही थी, शुष्क गरमी हमारे पीठ पर लदे थैलों की अपेक्षा हमारे कन्धों, पर अधिक भारी पड़ रही थी, धूल के कारण साँस लेना मुहाल हो रहा था, और धूप की तेजी हमारी आँखों में चुभ रही थी। हम थक गए थे। बस चालकों की उपेक्षा के कारण हमारा हास-बोध बहुत पहले ही उड़न-छू हो चुका था। घंटे भी बीतते जा रहे थे और शीघ्र ही रात हो जाने वाली थी...

अन्ततः अन्य बसों की तरह ही भरी एक बस आकर रुकी। आगे वाला दरवाजा खुला, और ठसाठस भरे लोग सिकुड़, सिमटकर उन जगहों में चले गए जहाँ पहले कोई जगह नहीं थी, और इस तरह उन्होंने दयालुता और समझ के साथ हमारा स्वागत करने लायक जगह बना ली। बस हमें लेकर चल दी। अन्ततः हम कहीं जा रहे थे, धीरे-धीरे ही सही।

इंजन अधिक तप रहा था। अपने साथियों में भिंचा था मैं, और मेरा दम घुट रहा था। मुझे हवा की जरूरत थी। मुझ पर तेजी से कमजोरी छा रही थी और लग रहा था मैं बहुत शीघ्र अचेत हो जाऊँगा। और कितना सह सकता था मैं? शीशे से मैंने देखा कि दो आदमी अपनी पोटलियाँ सड़क किनारे रखे किसी बस की प्रतीक्षा में थे, और मैं अपनी इस कामना पर स्वयं चकित रह गया कि काश यह बस न रुके! जबकि मैं स्वयं अभी दस मिनट से भी कम समय पहले ठीक इसी स्थिति में था। बस उन्हें छोड़ आगे निकल आई, पर मुझे तुरन्त ही इस पर खेद हुआ।

कुछ आगे चलकर दो औरतें पोटलियाँ लिए सड़क किनारे प्रतीक्षारत थीं। हिन्दुस्तान में जैसे आमतौर पर होता है, मैंने चिल्लाकर चालक से रुकने को कहा। वह रुक गया। और वहाँ मैं और भी भिंच गया पर इन दो अपरिचित औरतों की राहत देखकर प्रसन्न भी था जिन्हें परिस्थिति ने एक सुखद अबोध, और अनभिप्रेत आलिंगन में मुझसे सटा दिया था।

किसी विधर्मी ने रब्बी शम्माई से कहा था, "चलिए, मेरा धर्मान्तरण कर

दीजिए, पर शर्त यह है कि जब तक मैं एक पाँव पर खड़ा रह सकूँ उस बीच आप मुझे पूरी बाइबिल समझा दें।" रब्बी ने उसे मारकर भगा दिया।

तब वह आदमी रब्बी हिलाल के पास गया, जिन्होंने यह कहकर उसका धर्मान्तरण कर दिया : "अपने पड़ोसी के साथ वैसा मत करो जैसा तुम उसे अपने साथ नहीं करने दोगे। यह पूरी बाइबिल का सार है। बाकी सब टिप्पणियाँ हैं। जाओ जाकर उनका अध्ययन करो।"

बाद में, ईसा ने इसमें संशोधन किया : "दूसरों के साथ वैसा ही करो जैसा तुम उनसे अपने साथ करवाना चाहोगे।"[81]

सात

यथार्थ अथवा भ्रम?

एक दिन डार्विन आदिवासियों के पास गए। उनके साथ एक पादरी था जिसके हाथ में बाइबिल थी। डार्विन ने बाद में बताया कि, एक आदिवासी वहाँ खड़ा पादरी के हाथ में लगी उस चीज़ को बड़े ध्यान से देख रहा था। उसके पास यह जानने का कोई तरीका नहीं था कि वह थी क्या चीज़, क्योंकि उसके पास उस चीज़ को अर्थ देने के लिए कोई साँचा या सन्दर्भ नहीं था। उसे कोई अनुमान नहीं था कि लेखन अथवा पुस्तक होती क्या है और बाइबिल में क्या है।''

प्लेटो की 'मिथ ऑफ द केव' ने दिखा दिया है कि, बाह्य रूपाकार किस प्रकार बंचक हो सकते हैं। शॉपेनहावर ने कहा था कि ''संसार मेरी प्रस्तुति है। जो कुछ विद्यमान है, वह मेरे मन में विद्यमान है।'' और नीत्शे का कहना था कि ''हम बस भ्रमों में जीते हैं। अनेक बातें हमारे ध्यान में नहीं आ पातीं। हमारी अभिज्ञा मात्र सतह को छूती है।''

जब मैं देखता हूँ एक चश्मे से देखता हूँ। मैं उसे कभी नहीं देखता , जो है, बल्कि मात्र उसे देखता हूँ जो चश्मा मुझे देखने देता है। यह चश्मा इन्द्रियों की अन्तर्भूत सीमाओं से, किन्तु मेरे ज्ञान की, मेरी स्मृति की, मेरे अनुकूलन की, मेरी संस्कृति की मेरी आदतों और यहाँ तक कि मेरी मानसिक दशा से भी बना है। यह चश्मा मैं स्वयं हूँ। देखने वाला मानता है कि वह जो देखता है उससे भिन्न है, किन्तु वास्तव में वह जो देखता है उसके माध्यम से वह स्वयं को ही देखता है।

तो यथार्थ क्या है? यह जानने का क्या कोई तरीका है? क्या प्रज्ञा (बोध) को इन प्रश्नों का उत्तर देने के प्रयास से प्राप्त किया जा सकता है?

बोधि का बोध

गुरु ताकुआन अपने खाली कक्ष में गद्दे पर लेटे थे। वह मरणासन्न थे। एक शिष्य ने आकर उनसे उनकी अन्तिम इच्छा जाननी चाही। ताकुआन ने कहा कि उनकी कोई अन्तिम इच्छा नहीं है। शिष्य ने फिर भी कहा :

"आप कुछ तो अवश्य कहना चाहेंगे?"

"जीवन एक स्वप्न है," गुरु ने उत्तर दिया, और यह कहानी सुनाईः

"एक व्यक्ति धनी होना चाहता था। वह प्रतिदिन मन्दिर में प्रार्थना करता कि ईश्वर उसे धन दे। शीतकाल में, एक दिन उसने बर्फ में जमा एक मोटा बटुआ देखा। तुरन्त उसके मन में आया कि अन्ततः उसकी प्रार्थना सुन ली गई थी। बर्फ में जमे बटुए को जब वह निकाल नहीं पाया तो, उसने उस पर पेशाब कर दिया...और अचानक उसकी आँख खुल गई, उसका बिस्तर गीला था।"

"ऐसा है हमारा जीवन", गुरु ताकुआन ने कहा। "उस व्यक्ति के समान चमत्कारों की अपेक्षा मत करो जिसने अपना बिस्तर गीला कर दिया। अनुभवातीत चेतना की अवस्था को मत चाहो। प्रज्ञा कोई चमत्कार नहीं है, जागृति कोई विशेष मनोदशा नहीं है, इसका आशय है अपने जीवन के प्रति जाग्रत होना। बस इतनी-सी बात है।"

और गुरु जी का निधन हो गया।[82]

"हम जो सोचते हैं, वही होते हैं, हम जो कुछ भी है, उसकी उत्पत्ति हमारे विचारों से होती है। हमारे विचारों से हम संसार का निर्माण करते हैं। प्रत्येक प्रकार के ज्ञान का स्रोत मन है"—बुद्ध।[83]

मैं कहाँ हूँ?

कहते हैं तुपाल एक महान राजा था जो अपनी प्रजा के प्रति समर्पित ब्राह्मणों के प्रति उदार, बच्चों के साथ सज्जन, और प्रज्ञावानों और प्रज्ञा को सम्मान देने वाला था। वह सुशासन के नियमों का पालन करता था।

शिकार की एक रात, अपने दल-बल को बहुत पीछे छोड़, वह जंगल में बहुत दूर निकल गया और रास्ता भूल गया। सूर्योदय के समय, वह एक झोंपड़ी के सामने जा पहुँचा जहाँ एक अछूत एक साँड की लोथ साफ कर रहा था। स्वयं को वहाँ पाकर चकित, राजा यह पूछने ही वाला था कि वह कहाँ है और किस प्रदेश और गाँव में आ पहुँचा है, कि तभी उसे एक अत्यन्त रूपवती कन्या दिखाई दी। वह सीधी-सरल कन्या मुस्करा रही थी। वह साक्षात् सौन्दर्य की प्रतिमूर्ति थी। राजा उसे प्रेम कर बैठा।

तीर की-सी गति से, वह आखेट, अपने राज्य और शासन को भूल गया। उसके साथ ऐसा व्यवहार हुआ मानो वह परिचित था और एक लम्बे समय से उसकी प्रतीक्षा हो रही थी। उसने उस कन्या से विवाह कर लिया और उसके साथ ही उसके खाते में आए चर्मशाला, पशुधन और वन, वर्षा के उपरांत मरम्मत की अपेक्षा करता कच्चा घर, भैंसों का झुंड जिन्हें सुबह चरने ले जाकर रात में वापस लाना होता, फसल और मानूसन की ऋतुएँ, मोटे वस्त्र और खुरदरा पलंग...उसने वन देवताओं की पूजा को अंगीकार कर लिया और ग्रामीणों के साथ प्रार्थना में सम्मिलित हो गया। उसने उस शान्ति का अनुभव किया जो दिन भर के श्रम के बाद मिलती है, और वर्षा की प्रतीक्षा में होने वाली चिन्ताओं को झेला।

उसकी पत्नी ने उसे एक पुत्र दिया, फिर दूसरा, और फिर तीसरा पुत्र। उसने सुख की ऋतुएँ और दुर्भाग्य के वर्ष व्यतीत किए। रोग ने उससे उसका सबसे बड़ा पुत्र छीन लिया। उसका ससुर भी रोग में चल बसा और उसका चर्मशोधक का काम उसे मिला। फिर एक वर्ष सूखा रहने के बाद एक वर्ष अभाव का आया, और फिर बाढ़ आई जिसमें उसके मवेशी बह गए। एक वर्षा काल के दौरान उसकी प्रिय पत्नी झील में डूब गई। कई वर्ष निकल गए, कई वर्ष और आए।

एक शाम, अत्यन्त थकित वह घास के मैदान में सो गया और उसने एक विचित्र स्वप्न देखा कि वह एक न्यायी और श्रेष्ठ राजा है जो अपने राज्य पर शासन

कर रहा है। आखेट की एक रात वह जंगल में रास्ता भूल जाता है, एक झोंपडी के सामने जा पहुँचता है, एक अत्यन्त रूपवती कन्या को देखता है, अपने महल को भूल जाता है और उससे विवाह कर लेता है। अपने ससुर की मृत्यु के बाद चर्मशोधक बन जाता है, रोग में उसका सबसे बड़ा बेटा मर जाता है, फिर उसके मवेशी बाढ़ में बह जाते हैं, और फिर उसकी पत्नी झील में डूब जाती है ...एक दिन उसका प्रधानमन्त्री वहाँ उसके आँगन में आता है, और उसके चरणों में गिर जाता है।

"महाराज हम इतने समय से अनवरत आपको ढूँढ़ रहे हैं; हमने उत्तर से दक्षिण तक सारा राज्य छान मारा, और बाहरी प्रांतों और छोटे से छोटे गाँवों में भी आपको खोजा; हमने इस विशाल वन में भी अनथक तलाश की! धन्य भगवान, अन्ततः आप हमें मिल ही गए।"

जब राजा अपने सुरक्षाकर्मियों और प्रधानमन्त्री के साथ अपनी राजधानी लौट रहा था तो, उसकी आँख खुल गई, वह अपने महल में अपनी शय्या पर लेटा था!

यह एक स्वप्न था।

यह और कुछ नहीं मात्र स्वप्न था, किन्तु इस स्वप्न में यथार्थ का स्वाद था, रंग था, बनावट और आकर्षण था। इस निंद्रा के दौरान राजा को लगा था कि वह जाग रहा था, जैसे इस समय जागा हुआ था।

इस क्षण वह क्या था? अपने महल में विराजमान राजा, स्वप्न वाला चर्मशोधक या वह सोता हुआ चर्मशोधक जो अब यह स्वप्न देख रहा था कि वह राजा है? या शायद कोई और, जो किसी दूरस्थ लोक में सो रहा है जिसके विषय में वह सब कुछ भूल चुका था, और जो यह स्वप्न देख रहा था कि वह यह स्वप्न देख रहा था कि वह स्वप्न देख रहा था...और वन स्थित उस छोटे-से घर, और उस अछूत, उसकी अद्भुत पत्नी, भैंसों के झुंड, उस खुरदरे पलंग, और उसके बेटों, रोग और डूबने की घटना क्या थी? क्या ये अंतिम वर्ष एक रात के मात्र कुछ घंटे ही थे? और जीवन क्या शाश्वतता में स्वप्न का एक क्षण मात्र है? क्या हम एक सोते आदमी के स्वप्न के किरदार मात्र हैं? व्यक्ति कब जान सकता है कि सच क्या है? व्यक्ति कब जागता है? सत्य क्या ऐसा शब्द मात्र है जो भ्रम की नीरसता में मिलता है, अथवा क्या यह स्वप्नों और विचारों का सतत और अविभाज्य प्रवाह है?

सुबह वह चार मजबूत ब्राह्मणों के कंधों पर सवार पालकी में बैठ अपने महल से निकला। उनमें से एक ब्राह्मण इतनी लापरवाही से, जगह-जगह ठोकर खाता और लड़खड़ाता हुआ पालकी लेकर चल रहा था कि राजा को सहन नहीं हुआ और वह पालकी से उतरकर उसे डाँटने लगा :

"तुम कौन हो? और तुम इतने फूहड़पन से काम क्यों कर रहे हो?"

"राजन, मैं लम्बा और मोटा और थोड़ा कुरूप हूँ, और मैं ब्राह्मण हूँ, पर आप मुझे बताएँ–मैं वास्तव में कौन हूँ? और आप, आप कौन हैं? आपको क्या कह सकते हैं? क्या आप आपका शरीर हैं? क्या आप आपका जन्म हैं? और आप राजा क्यों हैं? आपको पता है, यह पालकी कहाँ से आई? किस किस्म की लकड़ी से बनी है यह? क्या वृक्ष पहले ही यह वस्त्र था जो आप पहने हैं? हवा हर कहीं है, पर जब कोई बाँसुरी में इसे फूँकता है तो, उसके छिद्रों से निकलकर यह 'सा', 'रे', 'गा' आदि की ध्वनि देती है जो अन्त में एक धुन बन जाती है। ठीक उसी प्रकार कोई 'मैं' या 'तुम' नहीं होता, अपितु जीवन के अनन्त प्रवाह में मात्र एक अस्तित्व होता है।"

यह सुनकर, राजा को अपने हृदय में और भी तीव्रता से स्पंदन करते सत्य की शक्ति का आभास हुआ और तत्क्षण जन्म और अस्तित्व के विश्वास से मुक्त हो गया।

सत्य के प्रति जाग्रत होने को बिजली की कौंध का एक क्षण ही पर्याप्त है। फिर हमें बस वहाँ जाना होता है जहाँ न अभिज्ञान है और न उसे खोने की सम्भावना, न अस्तित्व है और न अस्तित्व की स्मृति, न जन्म है और न मरण की घातकता, मानो कोई अचेतावस्था से अनंततः जाग रहा है और स्वयं से पूछ रहा है : *मैं कहाँ हूँ।*"[84]

झुआंगझी

जीवन मात्र एक स्वप्न हो सकता है, परन्तु स्वप्न देख कौन रहा है?

एक रात, झुआंगझी ने स्वप्न देखा कि वह तितली है और जीवन से सन्तुष्ट इधर से उधर मँडराता फिर रहा है, और जो चाहे वह कर सकता है, और उसे यह आभास नहीं है कि वह झुआंगझी है। अचानक उसकी आँख खुल गई और वह चकित हुआ कि वह वही झुआंगझी है।

उस क्षण उसने प्रश्न किया कि क्या वह झुआंगझी है जिसने स्वप्न देखा था कि वह तितली है, या वह तितली हैं जो इस समय स्वप्न देख रहा है कि वह झुआंगझी।[85]

चाहे झुआंगझी स्वप्न देख रहा हो कि वह तितली है, या तितली स्वप्न देख रही हो कि वह झुआंगझी हैं, क्या हमें मात्र यह जानने में बुद्धिमानी नहीं दिखती कि हम स्वप्न देख रहे हैं?

क्या है जो कभी नहीं बदलता?

प्राच्य दर्शन शास्त्र में मात्र उसे 'वास्तविक' कह सकते हैं जो स्थायी है, जो परिवर्तित नहीं होता, अथवा परिवर्तन से परे है। परन्तु क्या है जो कभी नहीं बदलता?

एक गुरु और उसका शिष्य गंगा के सम्मुख मौन बैठे अनेक वर्ष से ध्यान-साधना कर रहे थे। हर सुबह, वे पवित्र नदी को पुष्पहार अर्पित करते थे। एक दिन गुरु ने शिष्य से पूछाः

"क्या है जो कभी नहीं, बदलता?"

शिष्य ने इस विषय में थोड़ी देर सोचा और उन सब पर चिन्तन किया जो उसने देखा या किया था... "आज जो पुष्प मैंने अर्पित किए हैं, वे उन पुष्पों से भिन्न हैं जो मैंने कल अर्पित किए थे। मैं भी कल से थोड़ा बदल नहीं गया हूँ क्या? मेरे गुरु वृद्ध हो रहे हैं। प्रति दिन मैं प्रार्थना करता हूँ, परन्तु हर बार ठीक उसी पद्धति से नहीं।"

उसने एक साधु के शव को नदी की धारा में बहते देखा। जीवन चलायमान है, मृत्यु उसे एक दिन ले जाती है। और जल, गंगा-जल भी चला जाता है और सदा भिन्न होता है, किन्तु...

"धारा! गंगा की धारा सदा विद्यमान रहती है। यह कितनी भी वेगवान हो, यह सदा विद्यमान रहती है।" शिष्य ने विस्मय से कहा।

"अच्छा उत्तर है", गुरु ने उत्तर दिया। "वर्षाकाल में यह तीव्र होती है, ग्रीष्म में धीमी पड़ जाती है, पर यह नदी तल में सदा विद्यमान रहती है।"

अगले दिन, ध्यान-साधना के समय, शिष्य यही सोचता रहा कि क्या है जो कभी नहीं बदलता। उसने जो-जो देखा उस पर चिन्तन किया : "इल्ली तितली बन जाती है। सूर्य हर बार ठीक उसी स्थान पर नहीं उगता, फिर भी यह प्रतिदिन उदित होता है, और चन्द्रमा यद्यपि हर रात एक ही स्थिति में नहीं होता, फिर भी हर रात वह आकाश में होता है...प्रतिदिन मैं भूखा होता हूँ भले ही हमें सदैव भोजन प्राप्त नहीं होता। कुछ लोग उदार होते हैं, अन्य हमें कुछ भी नहीं देते, फिर भी कभी-कभी कोई ऐसा व्यक्ति हमें भिक्षा दे देता है जो सामान्यतया हमें कुछ नहीं देता। वस्तुतः कुछ भी कभी निश्चित नहीं होता...."

शिष्य ने गुरु की ओर मुड़ते हुए कहा :

"जो कभी नहीं बदलता वह यह है कि सब कुछ हर समय बदलता रहता है।"

"अच्छा उत्तर है", गुरु ने अपने स्थान पर बैठे-बैठे कहा। सब कुछ हर समय बदलता रहता है। सब कुछ, हर समय, बदलता-रहता है, स्थायी है, अपरिवर्तनशील है, शाश्वत है, अमर है... और क्योंकि हम भी बदलते हैं, इसलिए सब कुछ के रूपान्तरण की प्रवाहमान धारा में हमारी भागीदारी होती है। परन्तु फिर भी, ऐसा कुछ भी है जो बदलता नहीं है : वह जो बदलावों से कभी प्रभावित नहीं होता, वह है–बदलाव की हमारी सम्पूर्ण स्वीकार्यता।"[86]

हेराक्लाइटस ने भी कहा है, "हम एक ही नदी में दो बार नहीं नहाते।"

रस्सी और साँप

क्या कोई संसार है? क्या यह वास्तविक है अथवा यह किसी अन्य उपादान का आभास मात्र है?

एक शाम, नरय वन में जा रहा था। अचानक झुटपुटे में उसे एक साँप दिखाई दिया। उसका हृदय धक-से रह गया और वह वहाँ से जल्दी से भाग लिया। कुछ देर बाद, वह एक लैम्प लेकर आया और ध्यान से देखा। तब उसे पता चला कि जिसे उसने साँप समझा था वह वास्तव में रस्सी थी, मात्र एक रस्सी....

प्रसाद को यह बात पता चली। एक दिन वह दौड़ता हुआ अपने गुरु के पास पहुँचा और हाँफते हुए बोला :

"मैं वन में होकर जा रहा था कि मैंने एक सूखी शाखा भूमि पर पड़ी देखी। मैंने उसे साँप समझा।"

"इतनी छोटी-सी बात पर तुम इतने आतंकित क्यों हो?" गुरु ने कहा। "क्या तुम्हें माया के रहस्यों का ज्ञान नहीं है?"

"देखिए, मैं भयभीत तब हुआ जब मैंने उस शाखा को उठाया....वह साँप था।"[87]

हम घटनाओं को देखते हैं, किन्तु हमारा आभास और हमारी समझ यह सुनिश्चित नहीं करते कि ये घटनाएँ वास्तव में और मात्र वैसे ही विद्यमान होती हैं जैसी हम उन्हें समझते हैं।

दर्पण

तथ्य नहीं होते, मात्र व्याख्याएँ होती हैं—नीत्शे।

एक बूढ़ा तिब्बती किसान अपनी उपज बेचने शहर गया। उसे अच्छे पैसे मिले तो, उसने सोचा क्यों न थोड़ी देर बाजार में घूम लिया जाए। वहाँ एक दुकानदार ने उसे एक दर्पण दिखाया। उसे कुछ पता नहीं था कि यह है क्या, पर जब उसने उसमें देखा तो वहाँ उसे अपने पिता दिखाई दिए। वह भावुक हो गया और उसने वह दर्पण खरीद लिया।

घर जाकर उसने उसे अपने शयनकक्ष की छोटी अलमारी में रख दिया। अब जब भी पुरानी स्मृतियाँ उसे सतातीं वह अपने कमरे में जाता और एकान्त में अलमारी खोलकर अपने पिता को निहारता था।

एक दिन उसकी पत्नी ने उसे यह खेल खेलते देख लिया। जब किसान खेत पर गया तो उसने अलमारी खोलकर देखा...वहाँ एक औरत थी। ईर्ष्या से पागल, उसने अपने पति के लौटने पर उसे बुरा-भला कहा। जब वे इस तरह झगड़ रहे थे तो वहाँ से एक नन (भिक्षुणी) निकली। पति-पत्नी ने उससे मध्यस्थता करने को कहा।

"रुको–"उसने कहा। "मैं स्वयं जाकर देखूँगी।"

उसने अलमारी खोलकर उसमें झाँका और फिर उनकी ओर मुड़कर कहा :

"अरे, चिंता मत करो, यह तो नन है।"

टोटका

यह सच है कि मैं जितना देख-समझ सकता हूँ, यह संसार उससे कहीं अधिक जटिल और सूक्ष्म है, पर मैं यह कैसे जानूँ कि मुझसे क्या छूट रहा है? क्या यह हो सकता है कि यह विश्वास का विषय है? हम जिसमें विश्वास करते हैं, क्या हम उसके लिए जिम्मेदार हैं? यहाँ हम मात्र अपने विश्वास के खिलौने हैं?

एक दिन मेरी दो मित्र बहस कर रही थीं। एलिजाबेथ जो है वह वेरोनिका पर आरोप लगा रही थी कि उसकी नजर बुरी है और वह दूसरों पर टोटका करती है। इस आरोप का खंडन कोई कैसे कर सकता है? वेरोनिका हतप्रभ थी।

अपने इस झगड़े में उन्होंने मुझे मध्यस्थ बनाया। दोनों की बातें सुनने के बाद, मैंने उनसे कहा :

"सुनो। बुरी नज़र जैसी कोई चीज नहीं होती। बेकार की बकवास बंद करो।"

कुछ महीनों बाद, जब स्वामी विचार व संसार में सक्रिय अलौकिक शक्तियों पर बोल रहे थे, मैंने उन्हें एलिजाबेथ और वेरोनिका के विवाद और उस पर मेरी प्रतिक्रिया के विषय में बताया।

स्वामी जी ने कहा :

"एलिजाबेथ ही वेरोनिका पर टोटका कर रही थी, वेरोनिका उस पर टोटका नहीं कर रही थी क्योंकि मनहूसी लाने का उसका आरोप अपने आप में एक टोना था। वह वेरोनिका को ऐसी नियति में कैद कर रही थी जिससे बचकर वह निकल नहीं सकती थी।"

स्वामी जी ने मुस्कराकर आगे कहा :

"तुम्हें वेरोनिका से कहना चाहिए था कि वह एलिजाबेथ पर टोना करे।"

अब बारी मेरे चौंकने की थी। स्वामी जी ने समझाया :

"उसे अभिशाप की धमकी देकर वेरोनिका उसे फिर से यह सोचने को बाध्य कर देती कि क्या वह सचमुच उसे अपने ऊपर इस तरह का अधिकार देना चाहती थी। टोना केवल तभी काम करता है जब कोई उसमें विश्वास करता है। इस तरह, अभिशाप ने उसी को कैद किया होता जिसमें से हटाने की सम्भावना थी अर्थात् एलिजाबेथ, वह वेरोनिका नहीं जिस पर टोटका किया जाता था और एलिजाबेथ

को अपने जोखिम पर यह पुष्टि करनी होती कि वेरोनिका का टोटका सही था या नहीं।"

सेंट-लूई, सेनेगल, के कब्रिस्तान में, मुझे एक फकीर मिला। आत्माओं की बात चली तो, मैंने वेरोनिका का किस्सा बताया। वह बोलाः

मैंने उस मामले को इतने हलके में नहीं लिया होता। मैंने कहा होता : "वेरोनिका का इससे कुछ लेना-देना नहीं है। उस पर बुरी आत्मा का साया है। और मैं उसे आज़ाद करने के लिए टोना करता। तब वेरोनिका और एलिजाबेथ को उससे छुटकारा मिल जाता।"

कबालिस्ट (रहस्यवादी)

कबाला एक रहस्यवादी पद्धति है जो इब्रानी अक्षरों, शब्दों और संख्याओं के अर्थ और उनके परस्पर सम्बन्धों पर आधारित है। यह एक प्रयास है इन रहस्यों को सुलझाने का कि यह विश्व कैसे अस्तित्व में आया,। यह शक्तियों और गुणों से युक्त कारण-शृंखला के विषय में बताता है, जिससे अनन्त सत्ता को अवसर मिलता है कि स्वयं को सृष्टि में सीमित करे और मनुष्य उसके सृजन-कारण से पृथक अस्तित्व में रहे।

''आओ देखो'', रब्बी आइज़क ने कहा।

बाइबिल का आरम्भ इस पद से होता है : ''एलोहीम (परमेश्वर) ने आरम्भ में आकाश और पृथ्वी को रचा।'' परम्परा हमें यह अनुमति देती है कि हम किसी शब्द से और भी अर्थ निकालने के लिए उसके अक्षरों को जोड़ें। इस प्रकार बाइबिल के पठन का नवीकरण निरन्तर टिप्पणियों अथवा टीकाओं के माध्यम से होता रहता है। बाइबिल की प्रथम पाँच पुस्तकों की रहस्यवादी टीका, जोहार, की शिक्षा है कि रचयिता ईश्वर के नाम 'एलोहीम' के दो अक्षरों को पहले सीधे तरीके से और फिर दूसरी बार उलटे क्रम में पढ़ा जा सकता है : ''एलोहीम से मिलता है एलेह-मी।'' 'मी' (कौन) (एलेह) (जो) से जुड़ता है, जिससे 'एलोहिम' शब्द बनता है—ऐसा कहा जाता है। हमारे गुरुओं ने सिखाया है कि यह नाम कभी तोड़ा नहीं जाता और इसी घनिष्ठता से हमारा संसार कायम है। 'कौन' प्रश्न करने की चरम उच्च सीमा है। 'वह' उसकी निम्न सीमा है। 'कौन' सोचने और प्रश्न करने, अस्तित्व में होने और अस्तित्वहीन होने का केन्द्र है... जब 'कौन' और वह एक साथ होते हैं तो एकीकृत वास्तविकता बनती है।

आरम्भ में 'कौन' और 'वह' (एलोहीम) ने आकाश और पृथ्वी की रचना की ऐसा लिखा है। आकाश और पृथ्वी का अर्थ है सर्वस्व समग्रता। जब आप 'कौन' और 'वह' को पृथक करते हैं तो, आप इस समग्रता को तोड़ते हैं। कारण का एकत्व खण्डित हो जाता है, और आप स्वयं को सब कुछ से पृथक कर लेते है। आप स्वयं अपना अस्तित्व प्राप्त कर लेते हैं। और आपके लिए एक सृष्टि विद्यमान होती है क्योंकि आप इससे पृथक होते हैं। यदि आप समझते हैं कि

आप स्वयं की संकल्पना करते हैं तो, आप कारण सोपान में एक कदम ऊपर चढ़ते हैं। यदि आप स्वयं को सारतत्व समझते हैं तब भी आप ऊपर चढ़ते हैं। सोपान के शिखर पर Ayn-Sof अर्थात् अनन्त होता है। यहाँ, सारे प्रश्न एलोहीम की अपृथक चेतना में लुप्त हो जाते हैं। यहाँ वास्तविकता आप से अधिक विद्यमान नहीं होती। रब्बी आइज़क ने अपने स्वभाव के अनुसार अपनी व्याख्या को एक बार और दुहराते हुए यह कहा : "और इसे भी समझो : यशायाह नबी ने कहा था, वह किसने रचा। यदि तुम इसे प्रश्न के रूप में पढ़ते हो तो, तुम 'कौन' और 'वह' को पृथक करते हो; और इस प्रकार तुम्हें एक धर्म बनाना पड़ता है जिससे कि तुम स्वयं को फिर से उससे जोड़ सको जिससे तुम स्वयं अलग हो गए हो। यदि तुम इसे एक सकारात्मक अभिव्यक्ति के रूप में पढ़ते हो तो, 'कौन' (किस) और 'वह' पहले ही एक साथ हैं और तुम स्वयं दिव्य सत्ता की एकीकृत और अवैयक्तिक चेतना में प्रवेश करते हो : इस प्रकार 'कौन' कर्ता होता है, रचयिता होता है, जो 'वह' अर्थात सृष्टि से अविभाज्य होता है, क्योकि सृष्टि की अनुपस्थिति में कोई स्रष्टा नहीं होता। इसी से लोकों में प्रकाश आता है।

किन्तु अभी भी कुछ और है, जैसा कि (बाइबिल में) अय्यूब की पुस्तक में लिखा है : "वह पृथ्वी को निराधार लटका देता है।" सब कुछ शून्य में रहता है।[88]

आठ

मृत्यु

मृत्यु सभी के लिए चिन्ता का विषय है : पुरुष और स्त्री, विश्वासी और अविश्वासी सभी जाति और वर्ग, युवा और वृद्ध, बुद्धिमान लोग, आम लोग, अज्ञानी—सभी के लिए। यद्यपि कुछ लोग दूसरों के मुकाबले अधिक जीते हैं, फिर भी इससे बच कोई नहीं पाता है। इस प्रकार, मृत्यु समानता का बोध कराती है। अंततः सब कुछ इसी नियति को प्राप्त होता है,अनित्य संसार में यह परम मूल्य है।

मृत्यु अत्यन्त गम्भीर समस्या है—हम एक दिन मर जाएँगे। फिर भी इससे हमें यह पता चलता है कि वास्तव में कुछ भी अत्यन्त गम्भीर नहीं है, क्योंकि सब कुछ, सभी कुछ लुप्त हो जाना है। मात्र जीवधारी ही नहीं अपितु वस्तुएँ, पर्वत, ग्रह भी। देवगण तक काल कवलित हो जाते हैं : अब माज़दा या जूस या रा को कोई नहीं पूजता। पॉल वालेरी का दावा था कि सभ्यताएँ मरणशील हैं। तब से खगोल-भौतिकशास्त्री हमें और परिस्थिति-विज्ञानी हमें बताते आए हैं कि जिस ग्रह पर हम रहते हैं वह भी मर्त्य है। और भी बुरी बात यह है कि यह ब्रह्मांड भी अनित्यता के नियम से परे नहीं है।

सब कुछ मरता है।

Lacan ने कहा था, "मृत्यु एकमात्र सत्य है।" सी.जे. युग की धारणा थी कि, "यही युवा लोग जो जीवन से डरते हैं, बाद में मृत्यु से भयभीत होंगे।" कारमाजोव बन्धुओं में से एक ने कहा था कि "एकमात्र बुराई मौत है।" और मालरो के अनुसार, "मृत्यु एकमात्र निश्चितता है जो मन की शान्ति नहीं देती।" किन्तु टॉमस बर्नहार्ट का उत्तर है कि : "यह विचार सुन्दर है कि जीवन का अन्त निश्चित है।" और बोर्खेस का कहना है कि "मैं जो मुखौटों का रूप था, उनसे मुक्त होकर मैं मृत्यु में विशुद्ध विस्मृति हो जाऊँगा।" ज्ञानी जन उसके विषय में क्या कहते हैं जिससे कोई नहीं बच पाया है।

मुट्ठी भर चावल

एक विधवा अपने मृत इकलौते शिशु को बाँहों में लिए दौडती-भागती बुद्ध से मिलने पहुँची। शिशु की मृत्यु ने उससे जीने का कारण ही छीन लिया था।

"इसे जीवित कर दें", उसने बुद्ध से विनती की।

परन्तु बुद्ध इस प्रकार का चमत्कार नहीं करते थे। उन्होंने उस विधवा से कहा :

"गाँव में जाओ और किसी ऐसे घर से एक मुट्ठी चावल लाकर दो जहाँ कभी कोई मरा न हो।"

वह स्त्री गाँव में घर-घर जाकर दरवाजे खटखटाती फिरी। "हम तुम्हें चावल दे सकते हैं, किन्तु मेरे पिता का यहाँ गत वर्ष देहान्त हो चुका है।... हमारा बेटा बीमार हो गया था और अभी तीन महीने पहले उसकी मृत्यु हो गई...सूखे के वर्ष में मेरे परिवार के कई सदस्य इस घर में मर गए..." उसे ऐसे उत्तर सुनने को मिले।

वह हर कहीं गई, किन्तु कहीं उसे ऐसा घर नहीं मिला जहाँ कभी कोई न मरा हो। जल्दी ही रात हो गई।

कच्ची सड़कों पर खाली हाथ भटकती उस अकेली स्त्री के मन में विचार आया : "मृत्यु ने मेरे पति को छीन लिया और फिर मेरे इकलौते पुत्र को; एक दिन यह मुझे भी ले जाएगी। मेरे बेटे के साथ जो हुआ वह कोई ऐसी अनहोनी नहीं है।" उसकी समझ में आ गया : "मृत्यु जीवन का हिस्सा है, मृत्यु सभी की होती है।"

उसने अपने शिशु का अन्तिम संस्कार किया और बुद्ध के पास लौटकर उनकी शिष्या बन गई।[89]

सबसे असाधारण सत्य

मृत्यु से कोई नहीं बच सकता, परन्तु इसे मानना कौन चाहता है?

युधिष्ठिर और उसके चार भाई अपने शत्रुओं से बचकर भागे थे। वे सारा दिन बिना पानी पिए चले थे और अब बहुत प्यासे थे। अन्ततः जब वे एक क्षण सुस्ताने को रुके तो उनमें सबसे छोटा, सहदेव, पानी की तलाश में चला गया। एक झील पर पहुँचा कर जब वह पानी पीने को झुका तो, वहाँ एक यक्ष प्रकट हुआ।

यक्ष ने सहदेव को धमकाया कि ''यदि तुम मेरे प्रश्नों का उत्तर देने से पहले पानी पियोगे तो तुम मर जाओगे।''

पर सहदेव उसके लिए रुका नहीं, उसने पानी पी लिया और मर गया।

उसके तीन भाई उसे खोजते हुए वहाँ आए। उनका सामना भी यक्ष से हुआ और उनकी भी वही परिणति हुई।

अपनी बुद्धिमता के लिए प्रसिद्ध, सबसे बड़े भाई युधिष्ठिर ने देखा कि उसके भाई अभी तक नहीं लौटे हैं तो, वह उनकी खोज में निकला। वह झील पर पहुँच कर उसे अपने चार भाई निर्जीव अवस्था में मिले। वहाँ यक्ष भी था।

''तुम्हारे भाई, इसलिए मर गए क्योंकि उन्होंने मेरे प्रश्नों के उत्तर नहीं दिए।'', यक्ष ने कहा।

''तो अपने प्रश्न पूछो'', युधिष्ठिार ने कहा।

यक्ष ने एक सौ से अधिक प्रश्न पूछे। अन्त में उसने पूछा : ''जीवन का सबसे विलक्षण सत्य क्या है?''

युधिष्ठिर ने अपने चारों भाइयों के निष्प्राण शरीर देखे और समझ गया कि क्या हुआ था। उसने कहा :

''सबको मरना है। दसियों हजार स्त्री-पुरुष प्रतिदिन मरते हैं, फिर भी अभी तक जीवित लोग स्वयं को मृत्यु की पहुँच से दूर मानते हैं। यह जीवन का सबसे विलक्षण सत्य है।''[90]

धरती पर मनुष्य स्वयं को सर्वोपरि मानता है। धरती के नीचे पहुँचकर उसे पता चलता है कि वह कुछ नहीं है।

रोग

चिकित्सक ने उसे बताया कि उसका रोग घातक है, चिकित्सा विज्ञान का कोई भी उपाय उसे बढ़ने से रोक नहीं सकता।

"कितने दिन और हैं मेरे पास?" उसने पूछा।

"कुछ महीने। तीन से बारह महीने।"

पहले तो उसने इस निर्मम और घातक निदान को स्वीकार ही नहीं किया और स्वयं से कहता रहा : "नहीं, मैं नहीं, मेरे साथ नहीं। यह दूसरों के साथ होता है। मुझे अभी मौत नहीं आ सकती।" किन्तु शीघ्र ही उसे समझ में आ गया कि और सभी की तरह वह भी इंसान था, और दूसरे भी कम आयु में मरे हैं, और कोई भी व्यक्ति बीमार हो सकता और मर सकता है। मृत्यु सार्वभौमिक नियति है। "पर अभी नहीं, अभी नहीं...."

कुछ सप्ताह उपरान्त उसने हैरान होकर सोचा : "मैं क्यों, अभी क्यों? मैंने ऐसा क्या किया है?" किन्तु शीघ्र ही उसे समझ में आ गया कि इन प्रश्नों की अनेक व्याख्याएँ थीं, सही उत्तर एक भी नहीं था। थोड़ी देर के लिए उसने यह विचार किया कि चिकित्सक गलत थे, वह नहीं मरेगा। उसने उनसे बातचीत करनी चाही : "क्या ऐसा नहीं हो सकता कि मैं एक वर्ष और जी जाऊँ या शायद दो वर्ष? आप देखना, मैं ठीक हो जाऊँगा! कभी-कभी मैं बेहतर महसूस करता हूँ।" परन्तु वह उस रोग की वास्तविकता से बच नहीं पाया जो धीरे-धीरे उसे क्षीण किए दे रही थी; कोई चिकित्सक कैसी भी प्रार्थनाएँ, संसार की समस्त धनराशि भी उसे बचा नहीं सकती थीं। उसका रोग निर्ममता से बढ़ता ही जा रहा था...

इस प्रकार धीरे-धीरे रोग के प्रति उसकी सचेतनता भी बढ़ गई : "हाँ, मैं मर रहा हूँ। मैं शीघ्र ही मर जाऊँगा।" जब उसने अपने विलुप्त होने, अपने शून्य में विलीन हो जाने पर विचार किया तो मानो चाकू उसके पेट को चीर रहा था।

उसे भय, चिन्ता, आतंक, सिर चकराने, अस्वीकार, अवमानना, दुख, उपहास, भयावहता, असहायता, आक्रोश, और उदासीनता की अनुभूति हुई। साथ ही, न होने के विचार ने उसे आहत होने, प्राताड़ित होने, अरुचि होने, और घोर निराशा में धकेल दिए जाने का एहसास कराया।

फिर वह गहरे अवसाद में डूब गया।

वह इस पीड़ा की अनुभूति से अभिभूत था कि उसे उनको छोड़ना होगा जिन्हें वह प्रेम करता है, जिन्हें उसकी जरूरत है....सब कुछ समाप्त होने के विचार ने उसे ध्वस्त कर दिया। उसे अपने जीवन की उन असफलताओं का सामना करना था, उन्हें स्वीकार करना था जो अब ठीक नहीं की जा सकती थीं; दोबारा प्रयास करने का समय अब बीत चुका था। यह ग्लानि, यह शर्म... प्रेम और मित्रता के वे शब्द जो वह कभी कह नहीं पाया, वे परियोजनाएँ जो सदा के लिए अपूर्ण रहने वाली थीं। उसने उन तमाम चीजों को याद किया जो वह जीवन भर कल पर छोड़ता आया था। फिर भी वह अभी भी प्रयास और विरोध करना चाहता था...परन्तु इस दूसरे विचार को वह नहीं टाल पाया : इस संसार के भविष्य के लिए कोई तनिक भी महत्त्वपूर्ण नहीं है। जीवन रुकता नहीं है, किन्तु मेरे जीवन का अंत हो जाएगा। धीरे-धीरे उसने स्वयं को और संसार को खोने के विचार से समझौता कर लिया, उसने अस्तित्व में न होने के भय को और विनाशक मृत्यु की घोर नीरवता को वश में रखना सीख लिया। "मैं मृत्यु के भय और मृत्यु में अन्तर नहीं कर पा रहा हूँ", उसने मन में कहा। "शरीर की अनुपस्थिति में कोई संकल्प, कोई इच्छा नहीं होती, कोई भय नहीं होता, कोई मैं नहीं होता। मृत्यु में कोई अहं नहीं होता। शरीर की अनुपस्थिति में, 'मैं' की अनुपस्थिति में, कौन भयभीत होगा मृत्यु से? भयभीत होने को है क्या? मुझे मृत्यु की किसी भी बात से भयभीत नहीं होना है। मृत्यु भय का अन्त है। किन्तु क्या में मृत्यु को स्वीकार कर सकता हूँ...? नहीं। क्या मैं अभी मरने को तैयार हूँ...? अभी नहीं।"

उसने अपनी चर्या को व्यवस्थित किया, अपने मित्रों को बुलाया और उनसे कहा : "मेरे मरने पर दुखी मत होना, क्योंकि मैं नहीं रहूँगा। मैं अपने जीवन से प्रसन्न हूँ। मैं जो कर सकता था मैंने किया। मैंने दुख देखा है और सौन्दर्य भी। मैंने दुनिया की सैर की है। मैंने प्यार किया और प्यार पाया है। मैं कभी जीता हूँ और कभी हारा हूँ। कल एक नया दिन होगा, और अगली रात उतनी ही सुन्दर होगी जितनी कोई रात हो सकती है। कुछ रुकेगा नहीं। कुछ रुकना नहीं चाहिए।"

संसार के साथ उसके बन्धन धीरे-धीरे टूट गए और वह मृत्यु को एक नए साहसिक अभियान के रूप में देखने लगा, ठीक वैसे ही जैसे उसका जीवन होता था।

मृत्यु का विलोम जीवन नहीं जन्म है। अपने जन्म से पूर्व, क्या हम जीवन की कल्पना कर सकते हैं? यह कल्पना करने का प्रयास क्यों किया जाए कि मृत्यु के बाद क्या है? मृत्यु कल्पना को भयभीत करती है क्योंकि यह ठीक वही है जिसकी कल्पना नहीं की जा सकती—आर्यदेव।

मरना

अपने लेख 'मध्य युग में मृत्यु के प्रति पाश्चात्य अभिवृत्ति' में, फीलीप एरीज ने शताब्दियों पुराने मृत्यु के दृष्टिकोण का वर्णन किया है। उसने इसे पालतू मृत्यु कहा है जो आजकल की जंगली मृत्यु के विपरीत है। आजकल मृत्यु को जंगली माना जाता है क्योंकि उसे छिपाया जाता है, उससे इनकर किया जाता है, उसे दबाया जाता है और उससे असहायता में भयभीत हुआ जाता है।

प्राचीन काल में, मरना एक सार्वजनिक संस्कार होता था जो मरने वाले व्यक्ति के अधीन होता था। यह अतिशय नाटकीय नहीं होता था और यह प्रक्रिया अनेक चरणों में सम्पन्न होती थी।

पहले चरण में जीवन पर खुलकर खेद प्रकट किया जाता है जिसमें प्रियजनों और अपने सामान को दुख सहित किन्तु सीमित रूप में याद किया जाता है। यह भाव स्थायी नहीं होता। यह कर्मकाण्ड का चरण होता है। जीवन के व्यतीत होने पर शोक व्यक्त करने के उपरान्त सामान में से साझा किया जाता है, और फिर सहयोगियों और उपस्थित मित्रों और परिजनों का क्षमा ज्ञापन होता था; ये सदा ही अनेक होते थे और मरने वाले की शय्या के आसपास होते थे : "मैं आपको यहाँ और ईश्वर के समक्ष क्षमा करता हूँ।" फिर मरने वाला ईश्वर को अपने उत्तरजीवियों का अनुमोदन करता है।

यह समय होता है संसार को भूलकर ईश्वर के विषय में सोचने का। मरने वाला इसके लिए अपनी छाती पीटता है, अपने पापों के लिए खेद प्रकट करता है, और फिर स्रष्टा को सम्बोधित करके कहता है : "हे सच्चे पिता, मेरी आत्मा को समस्त खतरों से बचाना..."

इस समय एकमात्र पुरोहिती कर्म होता है, जिसमें पुरोहित क्षमादान के लिए भजन संहिता पढ़ता है। वह शरीर पर सुगन्ध घुमाता और उस पर पवित्र जल छिड़कता है। अन्तिम प्रार्थना के उपरान्त, हर कोई मृत्यु के आने की प्रतीक्षा करताहै ओर उसके विलंब से आने का कोई कारण नहीं होता। यदि मृत्यु आने में लम्बा समय लग जाता है तो, मरने वाला व्यक्ति मौन रहकर प्रतीक्षा करता है। वह अपनी अन्तिम प्रार्थना करता है और उसके पश्चात् एक शब्द भी नहीं बोलता।[91]

कालु रिनपोचे की मृत्यु

बोकार रिनपोचे महान तिब्बती गुरु ख्यावजे कालु रिनपोचे के देहावसान के विषय में बताते हैं :

"उनकी मृत्यु से कुछ ही पहले, उनके भतीजे ने उनके स्वास्थ्य के विषय में पूछा।"

गुरु ने उत्तर दिया :

"दिन भ्रम के अनुभव पर ध्यान साधना है, रात स्वप्न के अनुभव पर ध्यान साधना है।"

जब उनकी हालत अचानक बिगड़ गई तो, उन्होंने सीधे बैठने की इच्छा व्यक्त की। वह ध्यान मुद्रा में आ गए, उनके अधर धीरे-धीरे हिल रहे थे और उनकी आँखें पूरी खुली थीं। शान्ति और सुख का गहरा बोध हम सबके बीच स्थापित हो गया और हमारे मनों में फैल गया। वहाँ उपस्थित सभी लोग यह महसूस कर रहे थे कि हममें जो अवर्णनीय सुख भर रहा था, वह मात्र उस ज्योति की हल्की-सी झिलमिलाहट थी जो रिनपोचे के मन में उतर रही थी।

धीरे-धीरे रिनपोचे की नजर और पलकें नीचे हो गईं और उनकी साँस रुक गई। यह गहरे ध्यान में जाने की स्थिति थी।

डॉक्टर और नर्स ने विशेष साधनों से उनकी सांस वापस लानी चाही, पर चत्राल रिनपोचे ने कहा कि "रिनपोचे को शान्ति में छोड़ दिया जाए।"[92]

स्वर्ग

रब्बी टेटलबॉम अपने सपनों को लिख लेते थे। यह स्वप्न उनकी डायरी में लिखा मिला :

मैं विधान के महान विद्वानों तन्नाइम के स्वर्ग में गया। वहाँ मैंने एक विद्वान को बैठे देखा, वह फर की टोपी पहने था और फर्स्ट फ्लोर की ट्रीटी पर ध्यान लगा रहा था। इसके अतिरिक्त वहाँ कुछ नहीं था।

मैं बहुत चकित हुआ :

"असम्भव, यह स्वर्ग नहीं हो सकता," मैंने विस्मय में कहा।

किन्तु देवदूतों ने मुझसे कहा :

"तुम सोचते हो तन्नाइम स्वर्ग में हैं? ऐसा नहीं है। स्वर्ग ही तन्नाइम में पाया जाता है।"

कहते हैं दिव्य उपस्थिति उन लोगों के सिर पर विराजमान होती है जो तोरा (बाइबिल) का अध्ययन करते हैं, क्योंकि तोरा का अध्ययन करना और उसमें आनंदित होना सभी आज्ञाओं का एक साथ पालन करने के बराबर है। इसलिए संतों का पुरस्कार स्वर्ग वह स्थान नहीं हो सकता जहाँ वे मरणोपरान्त जाते हैं, बल्कि वह पद्धति होती है जिसमें वे संसार में देखते, रहते और कर्म करते हैं।

तीन दूत

एक दिन मृत्यु के देवता यम ने उनके सामने लाए गए व्यक्ति से प्रश्न किया।

"क्या तुम्हें मेरे तीन दूत नहीं मिले?"

"नहीं मैंने किसी दूत को नहीं देखा।"

"क्या तुम उस वृद्ध से कभी नहीं मिले जो वृद्धावस्था के कारण झुक गया है और छड़ी के सहारे चलता है?"

"अरे हाँ प्रभु, मुझे अक्सर ऐसे लोग मिलते थे", उस व्यक्ति ने उत्तर दिया।

"देखो, इस समय तुम यहाँ इसलिए हो कि तुमने वृद्ध व्यक्ति में जरा के सत्य के दूत को नहीं पहचाना। क्या तुमने निर्धन व्यक्ति को अकेला और बीमार नहीं देखा?"

"प्रभु, मैंने अनेक को देखा है।"

"देखो, इस समय तुम यहाँ इसलिए हो कि तुमने उस व्यक्ति में दुख के सत्य के दूत को नहीं पहचाना। क्या तुमने मृत व्यक्ति को नहीं देखा?"

"मैंने अनेक मृत व्यक्तियों को देखा है, प्रभु।"

"देखो, इस समय तुम यहाँ इसलिए हो कि तुमने मृत व्यक्ति को अनित्यता के सत्य का दूत नहीं समझा। यदि तुमने मेरे तीन दूतों को पहचान लिया होता तो, तुम मेरे सामने नहीं होते, तुम तमाम कष्टों से भरे जीवन की चाहत से मुक्त होते, तुम जीवन-मरण के चक्र में नहीं लौटते, और वहाँ होने पर चकित नहीं होते। अधिकांश मनुष्य कहते हैं : मृत्यु मात्र एक माया है। जो मृत्यु की निश्चितता पर चिन्तन करते हैं वे सौम्यता के पथ पर हैं।"[94]

मेरे बाद

कहाँ गीत? कहाँ विश्राम?
किस तीर उतरोगे, हे मन?
उस तट पर नहीं कोई पथ,
न कोई नौका, न नाविक,
न धरती न आकाश, न काल।
कुछ नहीं मिलेगा तुम्हें इस शून्य में।
—कबीर

मदरसे में शाम को रब्बी नप्ताली कुछ शिष्यों के साथ बाइबिल पढ़ते और उसकी टीका करते थे। एक शिष्य धर्मग्रन्थ के एक विशेष पद से त्रस्त था : "मुझ से पूर्व कोई भी ईश्वर नहीं हुआ, और न मेरे बाद कोई होगा।" (बाइबिल, यशायाह 43:10)। यह शिष्य अक्सर वही प्रश्न दोहराता था कि :

"परमेश्वर का कोई आदि या अन्त नहीं है, फिर उसके लिए पहले या बाद कैसे हो सकता है?"

एक दिन रब्बी ने उसे उत्तर दे ही दिया :

"परमेश्वर स्रष्टा है। बिना सृष्टि और बिना जीव के कोई स्रष्टा नहीं होता। यदि परमेश्वर कभी सृजन रोक दे तो, वह अस्तित्वविहीन हो जाता है। यशायाह नबी कहते हैं कि "मुझसे पूर्व कोई भी ईश्वर नहीं हुआ।" इसका आशय यह हुआ कि परमेश्वर बस तुम्हारे साथ रहता है। यदि मनुष्य न हों तो, ईश्वर के अस्तित्व की संकल्पना का प्रयास व्यर्थ होगा। और न मेरे बाद कोई होगा, का मतलब है: बाद का कोई अस्तित्व नहीं है। जो मेरे बाद अस्तित्वहीन है उसके विषय में असम्भव कहानियाँ कहना, और झूठे वादे करना भी व्यर्थ होगा।"[95]

परम भूलभुलैया स्वयं जीवन है। जब व्यक्ति मृत्यु को प्राप्त हो जाता है तो, क्या यह अन्ततः निकास होता है?

जब तक तू उस मिट्टी में न मिल जाए

यह उद्धरण मिदराश (धर्म ग्रन्थ की टीका) से है : रब्बी माइर की बाइबिल में, छठे दिन के अन्त में आपको यह मिलता है कि : "परमेश्वर ने अपनी सृष्टि को देखा..." और "देखो, वह बहुत अच्छी थी" की जगह यह लिखा है कि, "और देखो मृत्यु अच्छी थी। रब्बी माइर के अनुसार, परम उत्तम बहुत कुछ मृत्यु के समान होता है।।[96]

रब्बी आइजक गोल्डमैन इस पद की टीका कर रहे थे : परमेश्वर ने मनुष्य से कहाः तू तब तक अपने पसीने की रोटी खाएगा, जब तक उस मिट्टी में न मिल जाए जिससे तू बनाया गया था। तू मिट्टी है, और मिट्टी में ही मिल जाएगा।

माइमोनिडीज़ ने कहा है कि "मृत्यु रूप का अन्त है। मिहराश का उद्धरण है कि : परम्परा के अनुसार जिसकी उत्पत्ति जन्म में होती है वह मरता और नष्ट होता है, वह सृजित होता है, सृजन नहीं करता। जिसकी उत्पत्ति जन्म में नहीं होती वह न मरता न नष्ट होता है, न सृजन करता न सृजित होता है। मनुष्यों का सृजन हुआ था, उन्हें मरना ही है।" कोई मनुष्य कभी अमर नहीं रहा। जिसका सृजन ईश्वर करता है वह अपरिवर्तनीय नहीं है।

इस प्रकार, परमेश्वर ने आदम (प्रथम मनुष्य) से कहा कि तू अपने पसीने की रोटी खाएगा, और तब परमेश्वर की अनन्त कृपा को प्रकट करने वाले प्रेम का प्रदर्शन करते हुए उसने मनुष्य को आश्वस्त किया : जब तक उस मिट्टी में न मिल जाए जिससे तू बनाया गया था।

जब तक...यदि आप मृत्यु का सम्बन्ध बुराई या दण्ड से जोड़ते हैं, मानो यह स्पष्ट हो या आप सोचते हैं कि हमें मृत्यु से डरना चाहिए, या आप अपने मृत्यु सम्बन्धी भय को मृत्यु ही मान बैठते हैं, या पीड़ादायक प्रत्याशित अतीत मोह के साथ आप अपनी वास्तविकता के अनन्त और अमर होने की कामना करते हैं, यदि आप यह विश्वास करने लगते हैं कि जीवन अनन्त होता तो अद्‌भुत होता. ..तब यह पद एक निर्दय न्यायाधीश का दण्ड प्रतीत होगा... परन्तु जिसके लिए सदा सब कुछ अच्छा है, उस परमेश्वर के भावुकताविहीन दृष्टिकोण से, उस व्यक्ति के दृष्टिकोण से जो रब्बी सिमियन के सह-छात्रों की तरह अपने अनुभव के विषय में कह सकता है कि "यदि मैं इस संसार में केवल इसीलिए आया होता तो यह

पर्याप्त होता, इस बोध के दृष्टिकोण से कि कुछ भी अधिक दिन नहीं चलता, ईश्वर को जानने और उसकी अभिलाषा रखने वाले व्यक्ति के दृष्टिकोण से, हम इसे एक सीमा, एक माप के रूप में समझ सकते हैं : केवल जब तक....हम मृत्यु को बुराई समझने को बाध्य नहीं है।

ईश्वर मनुष्य को मृत्यु का अभिशाप नहीं देता; वह उसे बस यह याद दिलाता है कि वह मिट्टी है। स्वयं अस्तित्व में उसके अपने अन्त की शर्त निहित है, समय और कष्ट से अन्तिम निकास में। तू अपने पसीने की रोटी खाएगा...किन्तु जब तक तू मिट्टी में न मिल जाए। यह वैसे ही है जैसे यह कहा जाए कि : "चिन्ता मत करो, जीवन शाश्वत नहीं है।" यह आरक्षण, यह संयम, यह माप, यही कृपा है। परमेश्वर ने मनुष्य को अपनी उदारता के सबसे प्रामाणिक प्रमाण के रूप में मृत्यु की निश्चितता प्रदान की है।

अनन्त का प्रत्येक भाग अनन्त है। अनन्त अनन्त रूप में अनन्त है। किन्तु अनन्त का प्रत्येक भाग शाश्वत नहीं है। शाश्वतता अनन्त रूप में वही है—अत्यन्त रोमांचविहीन। धन्यवाद परमेश्वर, जीवन शाश्वत नहीं है। कुछ भी शाश्वत नहीं है। अनन्त शाश्वत रूप में भिन्न है और इसमें मृत्यु सम्मिलित है।

'सदा के लिए' 'भी नहीं' का धुर विलोम नहीं है, उनका भार एक नहीं है। सदा के लिए का अधिक महत्त्व है। वह कभी नहीं से अधिक गम्भीर है। कभी से बेहतर है कभी नहीं। यदि आपका जन्म कभी नहीं होता तो, आपको इसका खेद नहीं होता, किन्तु यदि आप सदा के लिए जीवित होते तो, शायद यह समय के साथ थकाऊ हो जाता..किन्तु यदि यह सदा के लिए नहीं है तो, आप कुछ समय के लिए जीना स्वीकार कर सकते हैं....

ईश्वर जिस चुम्बन से मनुष्य की साँस वापस लेता है वह प्रेम का चुंबन है जैसे वह चुम्बन था जिससे उसने उसमें साँस फूँकी।[97]

"जीवन दुख, एकाकीपन, और कष्ट से पूर्ण है और यह इतने शीघ्र समाप्त हो जाता है!"—वुडी ऐलन

पुनर्जन्म

हिन्दू और बौद्ध परंपराओं में स्व के पुनर्जन्म में विश्वास होना सम्मिलित है। बीसवीं शताब्दी में, यह विश्वास पश्चिमी देशों में आने वाले तिब्बती लामाओं और हिन्दू गुरुओं के की शिक्षाओं के माध्यम से ईसाई जगत में फैल गया है।

मृत्यु की ईसाई अवधारणा में मृत्यु को अस्वीकार किया गया है। ईसाई धर्म के अनुसार, मृत्यु का अस्तित्व नहीं है क्योंकि मृत्यु उपरान्त आत्मा को जीवन में मोक्ष प्राप्त हो जाता है। यह वास्तविक शाश्वत जीवन होता है, जिसका पुनर्जीवन अन्य लोक में : वांछनीय स्वर्ग में, अथवा अनस्तित्व अथवा कष्ट के अकल्पनीय नर्क में होता है। आत्मा व्यक्तिगत है और मोक्ष भी।

ईसाई पृष्ठभूमि वाले पश्चिमवासी व्यक्तिवादी हैं जो अपनी नित्यता में विश्वास करते हैं; उन्होंने पुनर्जन्म की परिकल्पना को मोक्ष के नए रूप के तौर पर ग्रहण किया है, और अक्सर वे इसे मृत्यु को अस्वीकार करने के नए तरीके के तौर पर लेते हैं। वे इसे पुनर्जन्म नहीं, पुनरवतार कहते हैं। "मैं वास्तव में मरूँगा नहीं, मैं बस शरीर को बदलूँगा।" वे ऐसा सोचते हैं और इससे उन्हें शान्ति मिलती है। पुनर्जीवित होने का विचार उन्हें मृत्यु की अनिवार्यता में सांत्वना देता है।

हिंदू या बौद्ध मृत्यु उपरान्त रहने की आशा नहीं करते, वे जीवन की अपरिपक्व मृत्यु से बचने का प्रयास करते हैं। वे जन्मों के चक्र से बचने और सचमुच मरने की कामना करते हैं।

यह मत विभिन्न प्रकार से सिखाया जाता है, और प्रत्येक प्रकार में जागरूकता का वृहत्तर स्तर लक्षित होता है। यहाँ गुरु-शिष्य संवाद में इस विषय पर तीन प्रकार से विचार किया गया है।

"लामा, सचेतन जीव जन्म लेते और मरते हैं। क्या यह सच है कि मरने के बाद हम पुनर्जीवन प्राप्त करते हैं?"

"तुम क्या सोचते हो?"

"मैं नहीं जानता। यदि सचेतन जीवन पूर्णतः लुप्त हो जाते हैं तो, उनके जीवन का उद्देश्य क्या था? और यदि मृत्यु उपरान्त वे पुनर्जन्म लेते हैं तो, क्या वे सचमुच कभी मरते है? क्या उन्हें कभी विश्राम मिलता है, क्या हम परलोक में स्वर्ग जाएँगे, क्या हम इस लोक में लौटेंगे अथवा क्या हम शून्य हो जाएँगे?"

"जीवनोपरान्त क्या होता है, उसे लेकर तुम चिन्तित क्यों हो? क्या तुम समस्त सांसारिक बन्धनों से मुक्त हो?"

"नहीं लामा", शिष्य ने विनम्रता से कहा।

"तब अपने बन्धनों में देखो, क्या है जो तुम्हें तुमसे बाँध रहा है। उनसे मुक्त होने का प्रयास करो।"

"किन्तु मृत्यु का क्या?" शिष्य ने आग्रह किया।

"यदि हम जीवन में आसक्त होते हुए मरते हैं तो, हम जीवन में लौटेंगे। यदि हम अपने जीवन काल में मुक्ति प्राप्त कर लेते हैं तो, हम पुनर्जन्म के चक्र से मुक्त हो जाएँगे। हम जैसा बोते हैं वैसा काटते हैं।"

कुछ माह बीत गए। एक दिन शिष्य ने वहीं प्रश्न फिर पूछा। उसके प्रिय लामा ने उत्तर दियाः

"जीवन के तीन लक्षण हैं : अनित्य, दुख और अनात्म। प्रत्येक वस्तु विभिन्न घटकों से निर्मित है। गाड़ी को हम काठ का ढाँचा कहते हैं जिसमें पहिए, लट्ठे, कीलें आदि जुड़ी होती हैं और इनमें से प्रत्येक हिस्सा स्वयं किसी और वस्तु से बना और रूपाकार प्राप्त किया होता है। अतः हम किसी वस्तु को जो नाम देते हैं वह एक परिपाटी है, किन्तु उस वस्तु का यथार्थ निर्भर, दशाजन्य, अनित्य, और परिस्थितियों से जुड़ा होता है, और मात्र नामों और रूपों की परिधि में विद्यमान रहता है। यही बात जीवों के विषय में भी सही है। व्यक्ति अथवा स्व वह नाम है जो हम जीव की निर्मित करने वाली एकत्र शक्तियों और तत्त्वों को देते हैं। इस प्रकार, जो वस्तु केवल अपनी घटक शक्तियों और तत्त्वों के कारण अस्तित्व में है, वह इन शक्तियों और तत्त्वों के विसर्जन के उपरान्त अस्तित्व में कैसे बनी रह सकती है?"

"क्या कोई मन अथवा आत्मा, अथवा ऐसा कुछ नहीं है जो मृत्यु उपरान्त बचता हो?"

"जब कोई स्व है ही नहीं तो, तुम स्व के मन अथवा उसकी आत्मा की कल्पना कैसे कर सकते हो?"

"फिर भी हम स्व की संकल्पना करते और उसे स्वीकार भी करते हैं।"

"हाँ, और हम उससे मुक्त भी हो सकते हैं। मन में जो प्रकट होता और लुप्त होता है, वह और कुछ नहीं बस मन होता है।" यह पतंजलि की शिक्षा है। फल की आशा त्याग दो।

अनात्म का अर्थ है कि कोई आत्मा, कोई स्व पहचान और कोई शाश्वत स्व, और इसलिए स्व का पुनरवतार अथवा भावी मोक्ष, नहीं होता। तुम मोक्ष (मुक्ति) को क्षण में, एक समय पर एक क्षण में, प्राप्त कर सकते हो। मुक्ति की इच्छा भी मत करो, क्योंकि यही तुम्हें उसकी प्राप्ति से रोक रही है।

शिष्य को आभास हुआ कि उसके लामा एक ही प्रश्न का सदैव

एक-सा उत्तर नहीं देते। कुछ माह उपरान्त उसने गुरु से फिर पूछा। इस बार, लामा ने उत्तर दिया : "जीवन सृजित होता है। इससे स्व के अस्तित्व में विश्वास उत्पन्न होता है। हम इस विश्वास से मुक्त हो जाएँ तो, हम इस स्व से मुक्त हो सकते हैं।"

"किन्तु मृत्यु के पश्चात क्या होता है?" शिष्य ने फिर वही प्रश्न किया।

"प्रत्येक जीवन की तुलना चेतना की एक बूँद से की जा सकती है।" लामा ने कहा। "मृत्यु के समय वह बूँद वापस अलय विज्ञान (अवैयक्तिक चेतना) के सागर में चली जाती और उसमें विलीन हो जाती है। इसलिए यह इसमें अपने जीवन का अनुभव लाती है। बाद में, "जब इस सागर की एक बूँद नया जीवन बन जाती है तो, क्या यह वही बूँद होती है अथवा कोई दूसरी?"

"वही होती है....और यह वही नहीं होती..."

"ऐसा क्यों?"

"क्योंकि यह अन्य बूँदों में मिल गई थी।"

"बिल्कुल ठीक। यह वही होकर भी वही नहीं होती, क्योंकि नई बूँद अन्य समस्त बूँदों से कुछ न कुछ लेकर बनी होती है। एक जीवन से दूसरे जीवन में कोई प्रत्यक्ष पारगमन नहीं होता, कोई व्यक्तिगत पुनर्जन्म नहीं होता। बूँद और सागर एक बिम्ब है जिसकी सहायता से हम समझ सकते हैं कि जीवन का जन्म उस संदर्भ में होता है जिसे समस्त पूर्व जन्मों ने तैयार किया है।"

"किन्तु आपने कहा था कि हम जो बोते हैं वही काटते हैं। समस्त सचेतन जीव इसी सागर से उत्पन्न होते हैं जिससे हमारा भी जन्म होता है। यही सब अन्य समस्त जीवनों के साथ भी होगा। इस प्रकार हम वही काटेंगे जो हमने बोया है, और जो अन्य सभी ने बोया है।"

यीशु (जीसस) यहूदी थे, जैसे बुद्ध हिन्दू थे। उन दोनों की जड़ें पहले से विद्यमान धर्मों में थीं, और वे दोनों ही नए धर्म के संस्थापक बने। यीशु ने यहूदी धर्म में मृत्यु उपरान्त जीवन का विचार दिया जो यहूदी धर्म में नहीं था। बुद्ध ने अपने जन्म के हिन्दू धर्म में से आत्मा अथवा स्व को निकाल दिया। वैसे, बौद्ध धर्म के अनेक सम्प्रदायों ने उसे फिर से ले लिया।

दलाई लामा कहते हैं : पुनरवतार का विचार बौद्ध धर्म के दार्शनिक ढाँचे में समाहित है। यह एक गतिज ऊर्जा है जो पूर्व जन्म का परिणाम है। यह बुद्ध की शिक्षा नहीं है। बुद्ध का योगदान यह दिखाना है कि ऐसी कोई आत्मा अथवा स्व नहीं है जिसका पुनर्जन्म होता है।

किन्तु आध्यात्मिक उद्विकास के उच्च चरण में पहुँच चुके व्यक्ति के लिए माना जाता है कि वह अपनी मृत्यु के समय इस उर्जा-प्रवाह को विशेष दिशा देने में समर्थ होता है, ज़िससे एक विशेष लामा का जन्म होता है।

कैसी मृत्यु?

मुसलमान ने सूफी से कहा :

"हम सचमुच एक-जैसे हैं। हम दोनों कुरान पढ़ते हैं, और हम दोनों रसूल में विश्वास करते हैं....।"

"नहीं, हम समान नहीं हैं," सूफी ने बीच में टोककर कहा, "हम भिन्न हैं। तुम स्वर्ग की आशा करते हो, जबकि मैं ईश्वर को खोजता हूँ।"

प्राचीन गुरु यह किस्सा कहा करते थे, शेख आजम ने कहा :

"मृत्यु शय्या पर पड़ा एक व्यक्ति अपने विचारों, इच्छाओं और पूर्वधारणाओं की भूलभुलैया में घूम रहा था। रह-रहकर वह ईश्वर को याद करता और उससे दया की प्रार्थना करता था; वह मना रहा था कि उसकी आत्मा शाश्वत हो; वह एक ऐसे स्वर्ग के लिए तरस रहा था जिसकी कल्पना का प्रयास वह करता था। परन्तु वह नर्क से भयभीत भी था और कई पाप कर्मों पर पछता रहा था। अन्ततः मृत्यु ने उसे आ घेरा। उसने अन्तिम साँस ली। मृत्यु उपरान्त, उसने विस्मय में देखा कि वह अभी भी विद्यमान था, जैसे वह पहले था। उसके विचारों, इच्छाओं और पूर्वधारणाओं ने ठीक वैसे ही संसार की रचना कर ली थी जैसा वह छोड़कर आया था, मानो वह गया ही नहीं था। अपना पूरा जीवन वह मृत्यु से भयभीत था, किन्तु इस बार वह जानता था कि उसे स्वयं से भयभीत होना चाहिए।"

"विचारों या आशाओं या भयों का प्रभाव उनके सृजनहार की रचना करता है," शेख आजमने आगे समझाया। "आप अपने से इतर कभी नहीं सोचते, आप अपने से इतर कभी कुछ नहीं चाहते। इस तरह मृत्यु यह प्रश्न प्रस्तुत करती है कि : क्या मैं अपने मैं के साथ मरूँगा या अपने मैं को छोड़कर?

मृत्यु ठीक वैसी होती है जैसी आप चाहते हैं क्योंकि जब आप जीवित होते हैं, मृत्यु उससे कतई भिन्न नहीं होती, जैसी आप उसे सोचते हैं और तब मृत्यु के बाद आप वही हो सकते हैं जो आप चाहते हैं और जिससे आप डरते हैं।

यदि जीवन के उपरान्त भी कोई मैं नहीं है तो, आपको उसका ज्ञान नहीं होगा। किन्तु यदि मैं है तो, आपको अपने मैं से डरना होगा... जब वह मर नहीं पाएगा। मरने का मतलब है इच्छा करना और कल्पना करना बन्द कर देना, अपने

आपको रचना बन्द कर देना। जो स्वर्ग में ईश्वर की आशा करता है, वह वास्तव में ईश्वर से प्रेम नहीं करता, वह सचमुच स्वर्ग नहीं चाहता। सर्वप्रथम वह अपनी कल्पना की परिस्थितियों में होने की कल्पना करता है। उसका अहं इतना बड़ा होता है कि वह अपने 'मैं' से अधिक और कुछ नहीं चाहता। वह सच में स्वर्ग कैसे पहुँच सकता है? वह ईश्वर को कैसे पहचानेगा जो अकल्पनीय है?

समस्या अल्प है। मृत्यु हमें शून्य में बुलाती है।

सूफी मृत्यु से पूर्व मरने का प्रयास करता है और इस प्रकार असृजित की अमरता को जानने का प्रयास करता है। वह यह सुनिश्चित करता है कि, मृत्यु के पश्चात् कोई और मृत्यु न हो।''[98]

जिस तक कुछ नहीं पहुँच सकता

मौन में जड़
वह पूर्ण शून्यता तक पहुँचता है।
पूर्ण आन्तरिक शान्ति बनाए रखकर
वह वस्तुओं के प्रकट रूप पर विचार करता है।
जीव अथवा वस्तुएँ कितनी भी प्रचुरता में हों,
वह उनके प्रकट रूप और उनके लोप पर विचार करता है।
सब कुछ अपने स्रोत में लौटने से पूर्व बढ़ता और फैलता है।
स्रोत में लौटने को मौन कहते हैं।
मौन का आशय है वस्तुओं को व्यस्थित रूप में देखना
व्यवस्था के माध्यम से व्यक्ति नित्यता को प्राप्त कर सकता है।
नित्यता के माध्यम से व्यक्ति बोधि को प्राप्त कर सकता है
बोधि प्राप्त न होने की परिणति भ्रम में होती है।
बोधि का ज्ञान हो जाने से मन निष्पक्ष हो जाता है
निष्पक्षता पूर्वग्रह रहित होती है।
पूर्वग्रहरहित व्यक्ति सार्वभौम होता है।
सर्वभौम ताओ (मार्ग) से एकाकार होता है।
ताओ से एकाकार हो, मार्ग में विलीन हो,
कुछ नहीं हो सकता हानिकर
मृत्यु भी नहीं।[99]

नौ

सुख और दुख

सुख और दुख अतिशय सापेक्ष है। हर कोई जानता है कि यदि कुछ एक व्यक्ति के लिए सुखद है तो, वह किसी अन्य के लिए सदा वैसा ही नहीं होगा। कहते हैं न कि सब कुछ निर्भर करता है। आज जो कुछ मुझे आनन्दित करता है वही कल मुझे मृत्यु की सीमा तक उठा भी सकता है।

संसार में सब कुछ अनित्य है, खेलपोत्सुल्त्रिम ने कहा था। अनित्यता एकमात्र यथार्थ है। कोई शक्ति, कोई ताकत, कोई इच्छा परिवर्तन को रोक नहीं पाई है। सब कुछ बदलता है, मित्र शत्रु बन जाता है, जीवन बाद में मृत्यु का रूप ले लेता है, और यह बढ़कर वह हो जाता है। तो फिर, हम अनित्यता पर कैसे विजय पाएँ?

अपने शत्रु से अपने मित्र के समान प्रेम करो, ताकि तुम्हारा मित्र यदि शत्रु हो जाए तो, आपके लिए कुछ न बदले। सभी घटनाओं—सुखद और दुखद, जीवन और मृत्यु, यह अथवा वह—के प्रति एक सी मनोवृत्ति रखो। मात्र समाचिन्तता है जो परिवर्तनातीत हो सकती है। अनित्यता और मृत्यु को जीतने का मात्र यही मार्ग है।

समाचिन्तता अल्पज्ञात सद्गुण है। इसका अर्थ कभी-कभी यह लगा लिया जाता है कि समस्त वस्तुएँ समान हैं। किन्तु वस्तुएँ सचमुच भिन्न होती हैं। कभी-कभी कुछ वस्तुएँ व्यक्तिनिष्ठ अथवा वस्तुनिष्ठ रूप में दूसरों की अपेक्षा वरीय होती हैं फिर भी यद्यपि यह सत्य है कि वस्तुएँ असमान होती हैं, हर वस्तु को दूर से समझा जा सकता है, जो न तटस्थता होती हैं न उदासीनता, अपितु अनासक्ति का बोध होता है।

आनन्द पीड़ा नहीं है, जीवन मृत्यु नहीं है, किन्तु किसी परिप्रेक्ष्य से दोनों को मात्र घटनाओं के रूप में देखा जा सकता है। यही नहीं, सुख अनिवार्यतः व्यतीत हो जाता है और उसी प्रकार कठिनाइयाँ भी समाप्त हो जाती हैं।

जो यह जानता है वह सदा अपनी विद्वता के लिए ख्यात नहीं होगा। कभी-कभी प्रज्ञावान व्यक्ति बिल्कुल साधारण लगता है।

धनी कौन है?

एक दिन, राजा सुलेमान के दरबार में एक वृद्ध ने बुद्धि के लिए विख्यात राजा से प्रश्न किया :

"धनी कौन है?"

लाल मणि जड़े अपने सोने के सिंहासन से राजा सुलेमान ने सभा में उपस्थित व्यक्तियों से कहा कि वे इस प्रश्न का उत्तर दें। एक दुकानदार ने कहा :

"धनी व्यक्ति के पास सोने की सौ ईंटें होती हैं, या उससे भी अधिक।"

"तुम्हारे पास कितनी हैं?" राजा ने पूछा।

"पचास, राजन।"

एक किसान ने कहा :

"धनी व्यक्ति के पास बहुत सारे मवेशी होते हैं, राजन्।"

एक पुरोहित ने कहा :

"धनी व्यक्ति के अनेक पुत्र होते हैं : कम से कम दस स्वस्थ पुत्र।"

"तुम्हारे कितने पुत्र हैं?"

"केवल पाँच, स्वामी।"

"देखो," राजा सुलेमान ने वृद्ध को सम्बोधित करते हुए निष्कर्ष दिया। "हर कोई जानता है कि धनी कौन होता है, किन्तु कोई धनी नहीं है। कोई धनी व्यक्ति नहीं है।"

एक निर्धन ने विनम्रता से उत्तर दिया :

"जो व्यक्ति यह देखता है कि उसके पास क्या है, और यह समझता है कि उसे क्या चाहिए, वह धनी है।"

"संसार वैसा होता है जैसा हम इसे देखते हैं", राजा सुलेमान ने उस निर्धन की प्रज्ञा को सराहते हुए कहा। "यदि हम अपने सुख के लिए शर्तें तय करते हैं तो, यह अप्राप्य या अल्पजीवी हो जाता है। सुख त्याग का परिणाम होता है, यह कामयाबी का फल नहीं होता। प्रज्ञा एकमात्र सम्पदा है जो सुख देती है। हम इसे कभी संजो नहीं सकते; फिर भी हर कोई इससे प्रेरणा प्राप्त कर सकता है।"

शिकायत-पुस्तिका

एक दिन पृथ्वीवासी ईश्वर को एक शिकायत-पुस्तिका भेजने के लिए एकत्र हुए।

मकड़ियों की शिकायत थी कि वन में घूमते हिरन उनके जाले तोड़ देते हैं। हिरन शेरों से भयभीत थे कि वे उन्हें खा जाते थे। शेर सोचते थे कि हिरन बहुत तेज भागते हैं और उन्हें पकड़ना मुश्किल होता है।

मच्छरों का रोना था कि हवा उन्हें उनके शिकार से दूर उड़ा ले जाती है, और हवा का आरोप था कि पर्वत उसकी उड़ान में बाधा डालते हैं। पर्वतों ने कहा कि वर्षा उनके शरीर को छलनी कर देती है, और वर्षा को हवा से शिकायत थी।

चूहों को उल्लुओं का भय था जो उन्हें खा जाते थे, और उल्लुओं की माँग थी कि रातें लम्बी होनी चाहिए ताकि वे शिकार कर सकें।

मुर्गियों ने लोमडियों के विरूद्ध शिकायत की कि वे उनके दड़बों में उत्पात मचाती है, और लोमड़ियों ने मनुष्यों की निन्दा की कि वे लोमड़ियों का संहार करते हैं। जहाँ तक मनुष्यों की बात थी तो, वे कभी एकमत नहीं हो पाए।

दक्षिणवासी चाहते थे कि सूरज कम गरम हो, और उत्तरवासी चाहते थे वह अधिक गरम हो। अन्य मनुष्य वर्षा चाहते थे। युद्धरत देशों और कबीलों ने ईश्वर से मदद की गुहार लगाई।

कई लोगों ने अपने पड़ोसियों की शिकायत की; इसने मकान बनाया था जिससे उसके बगीचे की धूप रुक गई थीं। एक पुराने दुकानदार की आपत्ति थी कि नई दुकान उससे गलत होड़ कर रही है; इस गाँव के निवासी सही धर्म को नहीं मानते, और वे बिच्छू बूटी खाते थे।

निर्धनों की शिकायत थी कि धनवान अधिक सुखी थे, और उनके अनुसार यह अनुचित था; धनवानों का कहना था कि मुद्दा उचित-अनुचित का नहीं था, उनकी माँग थी कि भिखारियों की संख्या बहुत कम होनी चाहिए। जमींदारों ने कहा मजदूर बहुत महंगे मिलते हैं। मजदूरों ने कहा मजदूरी बहुत कम है। राजा और अधिक अनुशासन चाहते थे। चोरों ने दरवाजों और तालों को कोसा। किसानों के लिए भूमि बहुत नीची थी।

ईश्वर को यह याचिका मिली जिसमें हरेक पृथ्वीवासी ने कोई न कोई शिकायत की थी। हरेक को संतुष्ट करने के लिए ईश्वर को हर किसी से पीछा छुड़ाना होता

और ऐसे तो कोई भी नहीं बचता।

अपनी कठिनाइयों का वर्णन करने में वे इतने कुशल हैं, किन्तु उन्हें जो लाभ मिले हुए हैं उन्हें स्वीकारने की बुद्धि उनमें अत्यन्त कम है। इस प्रकार, जो ईश्वर को सुन सकते थे उनसे उसने कहा, "मैं तुम सबको समझता हूँ, किन्तु तुम मुझे या अन्य किसी को भी नहीं समझते। तुम संसार की प्रकृति को नहीं समझते। मैं ही धूप और छाया हूँ, मैं ही शीत और ताप हूँ, वर्षा और सूखा हूँ, मैं ही मुर्गी और लोमड़ी हूँ, मैं ही मित्र और शत्रु हूँ। मैं इसका सुख और उसका दुख हूँ, मैं ही खाने वाला और मैं ही खाद्य हूँ। यह संसार मात्र एकल सत्ता है। वैयक्तिकता भ्रम है।"

निर्धन किसान और सफेद घोड़ा

जब कोई विपत्ति हमें घेर ले तो, हम यह कैसे निश्चित जान सकते हैं कि अन्ततः यह वरदान सिद्ध नहीं होगी? हम सबने यह अनुभव नहीं किया क्या?

हम कैसे जान सकते हैं कि जिस सफलता को हम खुलकर गले लगाते हैं वह अन्ततः आपदा नहीं बन जाएगी? बेहतर यह है कि हम परिस्थितियों को समचित्तता में और बिना कोई धारणा बनाए यथावत लें।

एक निर्धन वृद्ध किसान के पास सम्पत्ति के नाम पर मात्र एक खूबसूरत सफेद थोड़ा था जिससे राजा तक ईर्ष्या करता था। राजा इस घोड़े को खरीदना चाहता था, किन्तु वृद्ध किसान उसे बेचने को तैयार नहीं होता था। एक दिन उसका सफेद घोड़ा गायब हो गया। किसान के पड़ोसी एकत्र होकर उसे बुरा-भला कहने लगेः

"कैसे मूर्ख हो तुम! तुम चाहते तो अपने घोड़े को बेचकर इस निर्धनता से मुक्ति पा सकते थे, और अब वह चोरी हो गया...सचमुच दुर्भाग्य है।"

वृद्ध किसान ने उत्तर दिया, "हम बस इतना कह सकते हैं कि मेरा घोड़ा चला गया है। हमें नहीं पता वह चोरी हुआ है और यह दुर्भाग्य है या नहीं।"

कुछ समय बाद सफेद घोड़ा बाड़े में लौट आया, उसके पीछे-पीछे एक दर्जन जंगली घोड़े भी आए।

इस बार बूढ़े किसान के पड़ोसियों ने उसे बधाई दी : "तुम ठीक कहते थे। तुम्हारे साथ जो हुआ बड़ा सौभाग्य था। तुम अब धनवान हो।"

वृद्ध किसान ने उत्तर दिया, "हम बस इतना कह सकते हैं कि मेरा घोड़ा लौट आया है। हमें नहीं पता यह सौभाग्य है या दुर्भाग्य।"

वृद्ध किसान का एकमात्र पुत्र घोड़ों को साधने के काम में लग गया। किन्तु ऐसा करने में वह गिर पड़ा और उसकी दोनों टाँगें टूट गईं। वृद्ध किसान के पड़ोसी एक बार फिर एकत्र हुए :

"देखो, अन्त में यही दिखता है कि यह सौभाग्य न होकर संकट था! अब तुम्हारा बेटा घायल हो गया है, अब तुम्हारा परिवार कैसे चलेगा?"

"तुम लोगों को हर बात में राय बनाने का भूत सवार है", वृद्ध किसान ने कहा। "हम बस इतना जानते हैं कि मेरे बेटे की टाँगे टूट गई है। हमें नहीं

पता यह सौभाग्य है या दुर्भाग्य।"

कुछ सप्ताह पश्चात्, राज्य में युद्ध छिड़ गया। सभी युवकों को जबरन सेना में भर्ती कर लिया गया, बस वृद्ध किसान के पुत्र को छोड़ दिया गया जो चल भी नहीं सकता था। अधिकांश युवकों का रण भूमि से लौटना असम्भव हो गया। वृद्ध किसान के पड़ोसी फिर एकत्र हुए :

"तुम ठीक कहते हो, यह दुर्भाग्य नहीं सौभाग्य था कि तुम्हारे बेटे की टांगे टूट गई।"

"हम फिर कहते हैं, यह कोई नहीं जानता", वृद्ध किसान ने धैर्यपूर्वक कहा।[100]

कैसी कठिनाई

एक भक्त एक प्रश्न को लेकर हैरान थ। वह उस विषय में पूछने के लिए अपने रब्बी के पास गया :

कहते हैं ईश्वर हमें जो अच्छा या बुरा, सुख और दुख देता है, उसमें हमें समान रूप में आनन्दित होना चाहिए। अच्छे के लिए धन्यवाद देना, यह तो समझ आता है, किन्तु कठिनाइयों और पीड़ा के लिए आभारी होना, उसका क्या अर्थ है? यह कैसे सम्भव है?'

रब्बी ने एक पल सोचकर कहा :

"मैं तुम्हारी सहायता नहीं कर सकता। अच्छा हो तुम अमुक रब्बी से यह प्रश्न पूछो।"

एक दिन उस भक्त ने वहां जाने का निर्णय किया। उस गाँव में उसे किसी रब्बी का कोई घर नहीं मिला। उसने किसी से इस रब्बी के विषय में पूछा। उस व्यक्ति ने दूर वन के किनारे स्थिति एक पुराने मकान की ओर इशारा कर दिया। भक्त उसी दिशा में चल दिया।

वहाँ पहुँचने के लिए भक्त को लगभग एक मील कच्ची सड़क पर चलना पड़ा। यह टूटा-फूटा पुराना घर था। दीवारों को टेक देकर रोका गया था, और छत में कई छेद थे और खिड़कियाँ लगभग सारी की सारी टूटी हुई थीं। ठंड भीषण थी किन्तु चिमनी से धुआँ नहीं उठ रहा था। इसके साथ, उसे घर की स्त्री की ऊँची और कर्कश आवाज सुनाई दी। चंडी।

"यह मैं कहाँ दुख की माँद में आ गया", भक्त ने सोचा। उसी समय रब्बी बाहर आए, उन्होंने उस व्यक्ति को देखा और चाय के लिए अन्दर बुला लिया। अन्दर से मकान और भी जर्जर था और चाय क्या थी बस गंदला पानी था। भक्त को मेजबान महिला के अधरों पर हल्की-सी मुस्कान भी नहीं मिली।

किन्तु भक्त प्रश्न पूछने आया था, इसलिए उसने प्रश्न पूछा :

"यह सिखाया जाता है कि हमें ईश्वर को सुख और दुख दोनों के लिए धन्यवाद देना चाहिए और उसकी स्तुति करनी चाहिए। सुख के लिए ऐसा करना तो समझ में आता है, किन्तु दुख और पीड़ा के लिए, यह कैसे सम्भव है?"

"कैसा दुख? कैसी पीड़ा? मैं किसी दुख, किसी पीड़ा को नहीं जानता,"

रब्बी ने उत्तर दिया। "मुझे कुछ नहीं चाहिए और मुझे कोई कमी नहीं खलती। मेरे जीवन में कभी कोई पीड़ा नहीं हुई, कोई दुर्भाग्य नहीं हुआ।"

कुछ वर्ष पूर्व मैं एक मठ में ठहरा हुआ था। जब दिन या रात के भोजन की घंटी बजती, हर कोई भोजन कक्ष की ओर चल पड़ता था। भोजन कक्ष की ओर जाते समय मैं स्वाभाविक तौर पर उसकी ओर, उस दिशा में देखता था। किन्तु मैं संन्यासियों का व्यवहर देखकर विस्मित था : भोजन-कक्ष की ओर जाते हुए, वे नीचे अपने पैरों की ओर देख रहे थे।

पूरे रास्ते पूरी सचेतनता में चले बिना ही वहाँ पहुँचने की इच्छा के प्रलोभन से बचने के लिए, संन्यासी अपने गन्तव्य की ओर देखने से बचते थे। वे झुककर अपने कदमों को देखते थे।

हमारे चरणों में खुलते क्षितिज में ताकने की क्रिया में धैर्य को पाया जा सकता है। सौम्यता, शान्ति और आनंद भी वहीं मिल सकते है।

उत्तम निवेश

एक व्यक्ति अपनी आय में से थोड़ा-थोड़ा प्रतिदिन बचाता था। कुछ वर्ष उपरान्त उसके पास काफी धन जमा हो गया। किन्तु धन बढ़ने के साथ उसकी चिन्ताएँ भी बढ़ गई थीं। उसे हर समय चोरों का भय बना रहता था।

उसने तय किया कि वह एक सुन्दर-सा मकान बनवाएगा, ताकि उसे रात-दिन पैसों की रखवाली न करनी पड़े। किन्तु जब मकान बन गया तो, उसे आग से डर लगने लगा। यहाँ तक कि उसकी नींद ही उड़ गई।

उसने अपना मकान बेच दिया और पैसा बैंक के बचत खाते में जमा कर दिया। किन्तु अब उसे यह भय सताने लगा कि बैंक लुट सकते हैं या दिवालिया हो सकते हैं। इसलिए उसने बैंक से अपना पैसा निकाल लिया। अगले दिन बैंक में आग लग गई, किन्तु वह व्यक्ति चिन्तित नहीं हुआ क्योंकि उसका धन अब घर में तिजोरी में था।

किन्तु भय ने उसका पीछा नहीं छोड़ा। अब उसे डर लगने लगा कि उसके बच्चे उसे जहर दे देंगे और फिर उसकी तिजोरी खोल लेंगे।

एक दिन एक दान संस्था ने अनाथालय बनाने के लिए उससे चन्दा माँगा। उसने बचाया हुआ सारा धन दान में दे दिया।

उस दिन से, उसे किसी बात का भय नहीं रहा और वह शांतिपूर्वक रहने लगा। वह सज्जन और उदार व्यक्ति के रूप में प्रतिष्ठित हो गया और अनाथालय का नाम उसके नाम पर रख दिया गया।

अनाथालय आज भी है, और उस बात को कई दशक बीत जाने के बाद, आज भी अनेक बच्चे इस व्यक्ति के नाम को श्रद्धांजलि अर्पित करते हैं।

दस शक्तिशाली वस्तुएँ रची गईं : पत्थर कठोर होता है; किन्तु लोहा उसे काट देता है; लोहा कठोर होता है किन्तु आग उसे पिघला सकती है; आग शक्तिशाली होती है किन्तु पानी उसे बुझा सकता है; पानी शक्तिशाली होता है किन्तु मेघ उसे रोक लेते हैं; मेघ शक्तिशाली होते हैं किन्तु हवा उन्हें छितरा देती है; हवा शक्तिशाली होती है किन्तु शरीर उसका प्रतिरोध करता है; शरीर कठोर होता है किन्तु भय उसे तोड़ सकता है भय बड़ा होता है किन्तु मदिरा उसे दबा देती है; मदिरा शक्तिशाली होती है किन्तु निन्द्रा नशे को भगा देती है; मृत्यु इन सबसे शक्तिशाली होती है; किन्तु दान हमें मृत्यु से मुक्ति देता है।[101]

टूटा पात्र

आर्य देव ने कहा है : मनुष्य सुख का अर्थ उस दिन समझता है जब वह सब कुछ से अनासक्त रहते हुए सब कुछ का आनन्द लेने लगता है।

इक्यु बचपन से ही अपने भाई के साथ एक ज़ेन मन्दिर में रह रहा था। एक दिन इक्यू के भाई के हाथ से छूटकर एक कीमती चाय-पात्र गिर गया। यह पात्र बहुत पहले उसके गुरु को सम्राट ने दिया था। पात्र टूट गया। गुरु मन्दिर लौटने पर आहत होते या शायद आग बबूला भी हो सकते थे।

इक्यु ने अपने भाई को शान्त किया :

"चिन्ता मत करो। मैंने थोड़ी प्रज्ञा प्राप्त की है। मैं गुरु से बात करुँगा।"[102]

उसने पात्र के टुकड़े उठाए और उन्हें अपने वस्त्र की आस्तीन में रख लिया। फिर वह जाकर मन्दिर की सीढ़ियों पर खड़ा हो गया।

गुरु को देख, वह उनसे मिलने गया और उनसे यह प्रश्न किया :

"गुरु जी, क्या मुनष्यों का मरना नियत है, या वे नहीं मरते?" "वे निश्चय ही मरते हैं", गुरु ने उत्तर दिया। "बुद्ध की भी मृत्यु हुई थी।"

इक्यु ने सिर हिला दिया, फिर आगे कहा :

"और वस्तुओं का क्या? वे नित्य होती हैं या अनित्य? वे नाशवान होती हैं या शाश्वत?"

"जिस भी वस्तु का रूप होता है उसका लोप अनिवार्य है। इस संसार में कुछ भी शाश्वत नहीं है। सब कुछ बदलता है, सब कुछ मरता है। यह बुद्ध की शिक्षा है, और पर्यवेक्षण से सदा इसकी पुष्टि होती है।"

इक्यु ने सिर हिला दिया।

उसने दुख का अभिनय करते हुए कहा, "तो सब कुछ नाशवान है। तो जो चला गया, हमें उस पर रोना नहीं चाहिए, शोक नहीं करना चाहिए। और किसी हानि पर दुख करना नियति का प्रतिरोध करने के समान है।"

"बिल्कुल! तुम कहना क्या चाह रहे हो?" गुरु ने पूछा। तब इक्यु ने अपने वस्त्र की आस्तीन से टूटे पात्र के टुकड़े निकालकर गुरु को दिखा दिए।

जीवन-वृक्ष

अदन वाटिका में सभी प्रकार के वृक्ष थे और सभी में उत्तम फल होते थे, किन्तु दो विशेष वृक्ष भी थे : जीवन-वृक्ष और ज्ञान-वृक्ष। कुछ परम्पराओं में ऐसा कहा जाता है कि जीवन-वृक्ष सभी मनोकामनाएँ पूरी करता था, और ज्ञान-वृक्ष प्रज्ञा और विवेक प्रदान करता था।

एक दिन, आदम एक वृक्ष के नीचे लेटा था...उसने किसी मुलायम अैर गुदगदी वस्तु की संकल्पना की। अभी यह विचार उसके मन में आया ही था कि उसके निकट ही एक आरामदेह शय्या प्रस्तुत हो गई। वह उस पर पसर गया। फिर उसने सोचा कितना अच्छा होता कि कोई युवती आकर हौले-हौले उसके पैरों की मालिश करे। उसने यह सोचा ही था कि हव्वा (नारी) उसके पास बैठी उसके पैरों की मालिश कर रही थी। आदम (नर) को परम सुख की अनुभूति हुई। शीघ्र ही उसे भूख लग आई और वह स्वादिष्ट व्यंजनों के विषय में सोचने लगा। तत्काल ही अनेक व्यंजन उसके सामने सजे थे। वह उन्हें खाकर तृप्त हुआ और फिर अपनी शय्या पर सुस्ताने लगा।

उसका मन इधर-उधर भटकने लगा और एक विशेष चिन्ता पर आकर ठहर गया : ''कोई भयंकर सर्प यहाँ से निकले और मुझे काट ले तो क्या होगा।'' वह भयभीत होकर सोचने लगा। उसी क्षण एक बड़ा सर्प उछलकर उसके ऊपर या और उसे काटने वाला ही था कि आदम ने तेजी से सोचा : ''नहीं, मुझे मत काटो,'' और मृत्यु के अत्यन्त निकट आकर भी सर्प ने उसे नहीं काटा।

सर्वशक्तिमान होने का बोझ अतिशय अवहनीय होता है। यह हमारे लिए सुख भी सुनिश्चित नहीं करता। यदि हमारे सारे विचार तुरन्त सच होने लगे तो हमें हर समय सचेत रहना पड़ेगा। इससे किसी भी प्रकार के स्वप्न का निवारण हो जाएगा या यह अन्तहीन दुःस्वप्न जैसा हो जाएगा।

आदम उस वृक्ष से दूर चला गया। उसने अदन वाटिका भी त्याग दी क्योंकि वह समझ गया था कि जीवन को अपनी सारी शक्ति का उपयोग करके जीना होता है। तब से वह अपने प्रयासों से और सुख-दुख से अपना पोषण लेने लगा।[103]

खजाना

रब्बी यांकेल का पुत्र रब्बी आइज़िक पोलैंड के एक छोटे-से गाँव में रहता था जहाँ वह निर्धन नानबाई था। एक रात्रि उसे अनोखा सपना दिखाई दिया। एक वृद्ध उनसे कह रहा था : प्राला (प्राग) जाओ, और वहाँ जाकर महल की ओर जाने वाले पुल के नीचे, तीसरे खम्भे के नीचे खुदाई करो, तुम्हें खजाना मिलेगा।

सपना बस सपना होता है, और अगर हम सपनों की हर बात पर अमल करें...किन्तु आइज़िक को वही सपना दूसरी और तीसरी बार भी आया। सपना बस सपना होता है, पर जब एक ही सपना तीन बार आए तो उसे शकुन ही कहा जाएगा।

रब्बी आइज़िक प्राहा चल दिया। उसने यह पूरी यात्रा पैदल ही तय की। यात्रा लम्बी, साहसिक और चुनौतीपूर्ण थी। उसका सामना डाकुओं और साधुओं से, विश्वास और भय से, भूख और स्वागत-सत्कार से हुआ।

कई सप्ताह बाद रब्बी वहाँ पहुँचा और उसे अपने सपने का वह पुल मिला। पर वहाँ एक सिपाही दिन-रात उस पुल की निगरानी कर रहा था। आइज़िक की समझ में आया कि यह पूरा अभियान कितना खतरनाक, बेतुका और बेकार था। वह किसी शहर में पुल के नीचे ऐसे कैसे खोद सकता था कि उस पर किसी का ध्यान ही न जाए? वह आगे बढ़कर खम्भे को देखने के प्रयास में उसके अत्यन्त निकट जा पहुँचा। सिपाही ने उसे टोक दिया : "यहाँ क्या कर रहे हो? यहाँ खड़े होकर किस बात की प्रतीक्षा कर रहे हो?"

यदि आइज़िक ने सिपाही को अपने सपने के विषय में बताया तो, वह उसे ढूँढ़कर अपने पास रख लेगा...पर जब सिपाही ने उसे धमकाया कि वह उसे पीटेगा तो उसने उसे सपने की बात बता दी।

"तुमने एक बेतुके सपने के कारण इतनी लम्बी दूरी तक की?" सिपाही ने उपहास किया। "यदि हम सभी अपने सपनों की बात मानने लगे तब तो हम मूर्खों की तरह हर समय घूमते ही रहेंगे। मेरा विश्वास करोगे, कल रात मुझे भी एक सपना दिखाई दिया। सपने में मुझसे कहा गया कि मैं यांकेल के बेटे आइज़िक के यहाँ पोलैंड जाऊँ क्योंकि वहाँ उसकी भट्टी के नीचे मुझे खजाना मिलेगा।"

आइज़िक ने कुछ नहीं कहा। उसने सिपाही को वहीं छोड़ा और वापस अपने

गाँच चल पड़ा।

क्या उसे अपनी भट्ठी के नीचे खजाना मिला? या क्या उसे इतनी लम्बी यात्रा करके पहले ही खजाना नहीं मिल चुका था?

"पूरी धरती खजानों से भरी पड़ी है। आपका खजाना, जो आपकी प्रतीक्षा में है, आपके अन्दर ही मिल जाएगा।" संत का यह कहना है। क्योंकि वह आपके सपनों में छिपा है।[104]

दस

अर्थ

उपसंहार

कृष्णमूर्ति कहते हैं "जीवन का अर्थ और उद्देश्य हमारे बाहर नहीं, हमारे भीतर है।"[105] यह सच है। यदि हमारे जीवन का अर्थ और उद्देश्य हमारे बाहर होते तो, वे जीवन के बाहर होते। और इसलिए वे हमें कभी न मिल पाते। मनुष्य के जीवनकाल में जीवन का कोई अर्थ, कोई उद्देश्य न होता।

यदि अर्थ का सरोकार भविष्य से होता तो यह कभी हमारी पकड़ में नहीं आता और सदैव हमसे आगे होता। जीवन का ऐसा अर्थ हमारे किसी काम का न होता।

जिस अर्थ की तलाश हमें है, वह यदि ज्ञात से सम्बन्धित होता तो अवश्य ही वह अतीत से सम्बन्धित होता। इसलिए या तो हम इस अर्थ में जकड़ जाते और अपनी स्वतन्त्रता से वंचित होते, या वैकल्पिक रूप में इस अर्थ का फिर अस्तित्व न रह जाता क्योंकि ज्ञात सदा भूत और दिवसातीत होता है। शायद जीवन का कोई अर्थ नहीं हैं, परन्तु हमारे जीवन के प्रत्येक क्षण में वह अर्थ निहित होता है जो हम इसे देते हैं।

हम उसे मात्र ढूँढ़ और पा सकते हैं जो हमारे प्रश्न करने के क्षण में उत्पन्न होता है। क्षण में ही उत्तर सत्य-रूप में प्रकट होता है फिर भी यह चलायमान होता है।

हम सत्य को कभी समझ नहीं सकते, अधिक से अधिक हम इसके साथ अपने सम्बन्ध को जान सकते हैं। यह जानना कि कोई वस्तु नहीं अपितु किसी वस्तु के साथ हमारा सम्बन्ध है, इतने उन्मत्त और प्रज्ञावान होना कि हम यह स्वीकार करें कि जीवन का कोई निश्चित अर्थ और उद्देश्य नहीं है, उस एकमात्र व्यक्ति को अर्थात् स्वयं हमें, जानने और समझने का प्रयास करना जिस तक हमारी पहुँच है– जीवन का परम अर्थ यही हो सकता है। जीवन प्रत्येक को यह अर्थ प्रदान करता है, फिर भी हममें से अधिकांश को यह कभी नहीं मिलता...

जीवन सबको सब कुछ देता है

कुछ वर्ष पूर्व मैंने बोर्खेस की लिखी 'रेत की किताब' पढ़ी। इस कहानी संग्रह की एक कहानी ने मुझे इतना प्रभावित किया कि मैंने अपने मित्रों को भी वह कहानी सुनाई। एक दिन मैंने 'रेत की दीवार' दोबारा पढ़ी, पर अब तक जो कहानी मैं सुनाता आ रहा था वह वहाँ नहीं थी, जिस तरह से मैं सुनाता था वैसी नहीं थी।

जैसे कोई पुस्तक नहीं होती, बस उसका पढ़ना होता है (हम सब एक ही पुस्तक में अलग-अलग पुस्तक पढ़ते हैं) वैसे ही जीवन की इस पुस्तक का कोई सार्वजनिक पठन नहीं हो सकता....फिर भी अर्थ हर किसी को सुलभ है...

'क' का राजा सत्ता के शिखर पर पहुँच चुका था। एक दिन, उसने राज्य के महानतम कवि को अपने पास बुलाया। उसने कवि से कहा :

"मैं चाहता हूँ तुम मेरी ख्याति की प्रशस्ति में कविता लिखो। तुम पर्याप्त समय ले सकते हो। मैं तुम्हें इसके लिए पूरा एक वर्ष दूँगा। और तुम्हें पता है मैं अपने निष्ठावान सेवकों को कितनी उदारता से पुरस्कृत करता हूँ।

कवि ने घर लौटकर अथक आयास किया। उसने अपने समय के सटीक काव्यशास्त्रीय सिद्धांतों के अनुसार एक कविता की रचना की। कविता में उसने अलंकारों, छन्द योजना का भरपूर और सुन्दर प्रयोग किया। वर्ष के अन्त तक, एक लम्बी और शानदार प्रशस्ति कविता लिख डाली।

कवि ने भरे दरबार में अपनी कविता राजा को भेंट की। उसने धीमे और गम्भीर स्वर में उसे पढ़ा। राजा ने सिर हिलाकर उसके शब्दों से सहमति व्यक्त की, उनकी प्रशंसा की। पाठ के अन्त में, उसने कवि से कहा :

"तुम्हारी रचना मेरी प्रशंसा के योग्य है। यदि समस्त प्रकार का साहित्य सहसा विलुप्त हो जाए तो, हम तुम्हारी कविता की सहायता से उसकी पुनर्रचना कर सकते हैं और उसमें कोई क्षति भी नहीं होगी। तुम्हारी कविता में सब कुछ ज्ञानवर्धक है, फिर भी कोई कमी है। कोई निस्तेज नहीं हुआ, पीला नहीं पड़ा। हमारे हृदय की धड़कन बढ़ी नहीं। किसी का मन नहीं हुआ कि युद्धघोष करें। घर जाओ मैं तुम्हें मेरी ख्याति की प्रशस्ति में अविस्मरणीय कविता लिखने के लिए एक वर्ष और दूँगा। सम्प्रति, मेरी प्रशंसा के प्रतीक स्वरूप यह अँगूठी लो।

कवि ने अपनी कविता की पुनर्रचना में पूरा वर्ष लगाया। उसने राजा की ख्याति की प्रशस्ति में अपनी कविता को बार-बार लिखा। उसने हजारों पृष्ठ लिखे और लगभग हजारों ही फेंक दिए। वर्ष समाप्त होने पर वह फिर से भरे दरबार में उपस्थिति हो गया। उसने ऊँचे स्वर में अपनी कविता पढ़ी जो पहली कविता से काफी छोटी थी। तब राजा ने कहा :

"यह कविता इससे पहले की किसी भी कविता के आगे अद्वितीय है। यह चकित करती, स्तब्ध करती, हैरान करती है। मेरी प्रशंसा के प्रतीक स्वरूप राज्य का सबसे मूल्यवान रत्न स्वीकार करो। परन्तु, ऐसी उल्लेखनीय रचना के लेखक से हम इससे भी उत्कृष्ठ कृति की अपेक्षा करते हैं।"

एक वर्ष और बीत गया। इस बार कवि कुछ नहीं लिख सका। जब राजदरबार में उपस्थित होने का दिन आया, उसके पास प्रस्तुति के लिए कोई पांडुलिपि नहीं थी।

"क्या तुमने कविता नहीं लिखी?" राजा ने पूछा।

"लिखी है महाराज" कवि ने कहा किन्तु इसे सुनाने का साहस मुझमें नहीं है। मात्र एक शब्द की है। यह कविता मैं बस आपको सुना सकता हूँ।

कवि ने राजा से क्षणिक वार्ता का समय मांगा।

"निकट आ जाओ," राजा ने कहा।

उस दिन, संसार के कोने-कोने में घूम चुके एक व्यापारी ने राजा को अपना सबसे कीमती सामान दिखाया था। जब कवि ने राजा के कान में अपनी कविता का एक शब्द कहा तब वह व्यापारी वहीं, अत्यन्त निकट था। राजा कविता सुनकर विस्मित रह गया। इस बार वह पीला भी पड़ा और उसकी हृदय गति भी बढ़ गई। जब वह संयत हुआ, उसे आभास हुआ कि व्यापारी ने भी कविता का एकमात्र शब्द सुन लिया होगा। इस सन्देह में, राजा ने उसे अगले ही दिन मृत्यु दण्ड सुना दिया। उसे रात भर के लिए कारागार में डाल दिया गया।

भोर से पहले, नगर में भयंकर तूफान आया। कारागार की दीवार पर बिजली गिरी और इमारत ढह गई। व्यापारी मौका देखकर भाग गया।

फिर उसने धीमे-धीमे, लम्बी, अनन्त यात्रा प्रारम्भ की जो उसका जीवन बन गया। वह भागता ही रहा, कभी रुका नहीं। वह चोर बना, सार्वजनिक लेखक बना, लकड़हारा बना, नाविक बना, हथियार विक्रेता बना, सूदखोर बना, गुलामों को बेचने वाला बना और स्वयं भी एक बार गुलाम बना लिया गया और बचकर भाग निकला। उसने प्यार किया, प्यार पाया, द्वंद्व युद्ध किया, राजगीर और फिर भाड़े के सैनिक का काम किया..वह घुमक्कड़ रहा और फिर दोबारा यायावर बन गया।

वह शब्द क्या था जो उसने नहीं सुना था? उसके अन्तहीन पलायन के दौरान एक मिशनरी ने कहा कि वह शब्द 'ईश्वर' रहा होगा, पर उसे सन्देह था कि कोई

सर्व शक्तिमान, उदार सत्ता उसकी निगरानी कर रही थी। एक स्त्री का विचार था कि वह शब्द 'प्यार' रहा होगा, वह उसके रूप पर मोहित हो गया, किन्तु एक विकल सुबह भोर होने से पहले उसे छोड़ आया। एक बच्चे ने उसे 'मासूमियत' दिखाई, उसने स्वयं को दोषी या अशुद्ध नहीं माना। एक साधु ने वह शब्द 'त्याग' बताया उसने तुरन्त उसे त्याग दिया। एक वृद्ध ने कहा 'जरा', एक मरते व्यक्ति ने चिल्लाकर कहा– 'मृत्यु' चिता ने सुझाया 'भस्म' एक प्रज्ञावान ने साँस भरकर कहा 'मिथ्याभिमान'। इनमें से कोई भी शब्द अकेला सर्वोत्कृष्ट भजन की ध्वनि नहीं देता था। उनमें से कोई शब्द उसे मृत्युदंड दिलाने योग्य नहीं था। उनमें से कोई शब्द ऐसा नहीं था कि उसे सुनकर राजा विवर्ण हो जाता और उसकी हृदय गति बढ़ जाती।

एक शाम, विश्व की अनेक सड़कों में से एक के किनारे उसने एक घर के दरवाजे पर दस्तक दी, और आतिथ्य की विनती की। अन्दर एक वृद्ध अपनी अन्तिम साँसें ले रहा था।

"मुझे पहचानते हो?" वृद्ध ने पूछा।

"हाँ, मैं तुम्हें पहचानता तो हूँ। तुम 'के' राज्य के वही कवि हो।"

उसका मुखमंडल इतना मलिन दिख रहा था कि व्यापारी को सोचना ही पड़ा कि वह भी अत्यन्त वृद्ध हो गया है।

"तुमने वह शब्द सुना?" कवि ने मंद स्वर में पूछा।

"नहीं! जब तुमने वह शब्द बोला तो शोर हुआ और मैं उसे सुन नहीं पाया।"

"परन्तु तुम समझ गए थे..."

"हाँ, अब मैं समझता हूँ। तुमने 'राक्का' कहा था, जिसका अर्थ होता है 'आश्चर्य' और तुम्हारी भाषा में उसका अर्थ होता है "जीवन सबको सब कुछ देता है, पर अधिकांश लोग यह नहीं जानते।"[106]

सन्दर्भ

1. रब्बी अर्थात् यहूदी पुरोहित।
2. अय्यूब (बाइबिल) 28:20
3. रब्बी नहमान ऑफ़ ब्राज़लाव, द टेल्स, अर्नोल्ड जे. बॉड, पॉलिस्ट प्रेस, 1988
4. एक सूफी कथा से रूपान्तरण

यह अन्तिम पंक्ति टैगोर की गीतांजलि से है, 1912

हिस्ट्री ऑफ़ बुद्धिज़्म से, केईसाई, 1976, टोक्यो

7. थोमा का सुसमाचार, लोगिया 111
8. (बाइबिल) 1 राजा 2, 16-28
9. तथ्य पर आधारित एक गल्प कथा।
10. महाभारत, यक्ष-प्रश्न, और भगवद्? गीता के पदों से रूपान्तरित।
11. हसीदिज्म : द मूवमेंट ऐंड इट्स मास्टर्स; जेसन एरनसन इंक. ; 1988 से, और मार्टिन बुबेर, टेल्स ऑफ द हसीदिज्म से रूतान्तरित।
12. प्राचीन चीन की एक कथा से रूपान्तरित।
13. टू ज़ेन क्लासिक्स : मुमोकान ऐंड हेकिगानरोकू, वेदरहिल, 1977 थर्टीएथ केसेज़।
14. रूमी : इन दि आर्क्स ऑफ द बिलवेड, अनुवाद, जोनाथन स्टार, पटनैम पब्लिशिंग ग्रुप, 1997 ली लेवलिन वॉन, ट्रैवलिंग द पाथ ऑफ लव, गोल्डन सूफी सेंटर, 1994। यह कथा भगवान श्री रजनीश ने भी उद्धृत की है।
15. मठाध्यक्ष प्येर के साथ एक रेडियों भेंटवार्ता से।
16. रवीन्द्रनाथ टैगोर, द गोल्डन बोट, जैको पब्लिशिंग हाऊस, कोलकाता
17. ली त्सू, Lire V, 15
18. मत्ती (बाइबिल) से उद्धृत, 25/: /40
19. ऐल्बर्ट ले के एक लेख से रूपान्तरित,
20. टू जेन क्लासिक्स : मुमोनकान एंड हेकीगानरोकू, वेदरहिल, 1977.
21. टू जेन क्लासिक्स : मुमोनकान ऐंड होकिगानरोकू, वेदरहिल, 1977, 'नानसेन कट्स ए कैट', चौदहवाँ प्रसंग। द थ्री टू थिंग्स...ज़ाक लाफीत के उत्तर।
22. लाईत्सू से रूपान्तरित, पुस्तक-V, 15
23. शेख फरूद ने जो कहानी सुनाई वह फरीद-उद्-दून अतर ने दी थी।

24. द टीचिंग ऑफ बुद्धा, बुक्क्यो देंदो क्योकाई, टोक्यो, जापान, 1979.
25. एक हिन्दू कथा से रूपान्तरित : टेल्स ऑफ इमॉर्टल इंडिया, सत्तिया पब्लिशिंग, पटना।
26. भारत के बोध और तिब्बती बौद्ध शिक्षओं में प्राप्य एक कथा से रूपान्तरित।
27. लाई त्सू से रूपान्तरित, फॉरेन लैंग्वेज प्रेस, बीजिंग।
28. श्री भगवान आर्यदिव के एक वक्तव्य से रूपान्तरित, वर्ड्स ऑफ द गुरु, लोटस/चाऊ, पेरिस 1980
29. एक हिन्दू पारम्पारिक कथा से उद्धृत।
30. धम्मपद XII 4; VII, 8; XX, 4; और महापरिनिब्बान सुत्त के अंश।
31. बौद्ध जातक से रूपान्तरित : हिस्ट्री ऑफ बुद्धिज़्य, केसाई, 1976, टोक्यो। द जातक, लो प्राइस पब्लिकेशन्स, दिल्ली।
32. टेल्स ऑफ इमॉर्टल इंडिया से रूपान्तरित, सत्तिया पब्लिशिंग्स, पटना। रामकृष्ण ने भी उद्धृत किया, द गॉस्वल ऑफ श्री रामकृष्ण, स्वामी निखिलानन्द; रामकृष्ण-विवेकानन्द सेंटर; न्यूयॉर्क, 1992
34. एक सूफी कथा से रूपान्तरित जिसके विभिन्न रूप फरीद-उद्-दून, अन्तर में, जलाल-उद्-दीन रूमी, दि एसेंशल रूमी, अनुवाद कोलमैन बार्क्स, जॉन मेने, 1997 में, और इंद्रीसशाह, टेल्स ऑफ द दरवेशेज़ वाईकिंग पोंग्विन,1972 में मिलते हैं।
35. इमाम का उद्धरण : कुरान 22- : 10
36. जिब्रान, द मैडमैन, अल्फ्रेड नॉफ, 1949 ; उद्धरण, मत्ती (बाइबिल) 5, 29-30 से।
37. शेख आज़म, पैट्रिक लेवी, (Dieu croit-ilen Dieu?) आल्बैं मिशेंल/ क्वेश्चयन डि; पेरिस, 1993.
38. ला मार्क्वीस, डि, ओ, हाइनरिख क्लाइस्ट।
    मत्ती (बाइबिल) 7 : 1, युहन्ना (बाइबिल) 8 : 7
39. तेविज्ज सुत्त, सर्मन ऑफ द बुद्धा
40. ऋग्वेद 10:129
41. उत्पत्ति (बाइबिल) 12 : 1
42. कुरान 5:48
43. द गॉस्पेल ऑफ श्री रामकृष्ण, स्वामी निखिलानन्द, रामकृष्ण-विवेकानन्द, सेंटर, न्यूयॉर्क, 1942
44. उद्धरण टॉमस मेर्टन, द विज़डम ऑफ द डिज़र्ट
45. श्री भगवान आर्यदिव से रूपान्तरित, द वर्ड्स ऑफ द गुरु, लोटस/चाऊ, 1980
46. रूमी : इन दि आर्म्स ऑफ द बिलवेड से रूपान्तरित, द पटनैम पब्लिशिंग ग्रुप, 1997.
47. शेख आजम, Dieu croit il en Dieu? में, पैट्रिक लेवी। आल्बैं मिशेल/क्वेश्चन